ISBN 13 : 978-2-7072-0502-5

Conception graphique et maquette Michel Duris.
Photogravure R.V.B. Editions, 92120 Montrouge.
Imprimé en France par IME, Baume-les-Dames (25).

RECONNAÎTRE

LES HÔTELS PARTICULIERS

PARISIENS

J. M. LARBODIÈRE

Photographies de l'auteur

massin

Sommaire

Avant-propos

Ce livre traite de l'évolution des hôtels particuliers parisiens. Encore faut-il savoir ce que l'on entend par hôtel particulier, ce qui n'est pas toujours chose aisée. On peut tout d'abord dire qu'il s'agit d'une habitation destinée à une seule famille et que cette habitation affirme nettement le statut social privilégié de ses habitants. Ainsi, elle arbore généralement une belle porte cochère très ornée. Derrière, une cour permet de recevoir les véhicules de toutes sortes que l'on a pu inventer au cours des âges. Lui succèdent des bâtiments imposants, destinés à loger les maîtres et leurs très nombreux domestiques. Elle comprend aussi un jardin clos, espace privé plus intime qu'une cour destinée à accueillir les visiteurs. Enfin, elle renferme des espaces spécifiques à la haute société tels que remise à carrosses, écuries, galeries, antichambres, salles de réception, cabinets divers, chapelle…

Pour affiner, on peut aussi définir l'hôtel par ce qu'il n'est pas. Il ne s'agit pas d'un palais, qui est un ensemble de constructions destinées aux tout premiers personnages de l'État, non plus que d'une maison, qui est généralement de plain-pied avec la rue et dont les dimensions sont plus modestes. Enfin, ce n'est pas un immeuble au sens commun, car l'immeuble est destiné à accueillir plusieurs familles qui cohabitent sur différents niveaux superposés.

Vous voici donc parés, même s'il vous arrive de trouver certains beaux hôtels qui donnent directement sur la rue et que certaines maisons sont si luxueuses que l'on ne sait trop où les situer. Dans ce cas, la dénomination d'usage se chargera sagement de trancher pour nous.

Au Moyen Âge

Les vestiges de l'habitat médiéval sont vraiment très rares à Paris, aussi bien pour les immeubles populaires à pans de bois et colombages que pour les hôtels particuliers. Ce n'est guère qu'au XIVe siècle que l'on repère la poterne et les deux tourelles de l'hôtel de Clisson, dans le Marais.

Pourtant, Paris n'est déjà plus une petite ville, puisqu'on estime qu'elle compte, en 1328, quelque 200 000 habitants, lesquels sont alors très majoritairement regroupés sur la rive droite. Ils suivent en cela l'exemple du roi Charles V lui-même qui, dégoûté du palais de la Cité par la révolte fomentée par le prévôt des marchands, Étienne Marcel, trouve refuge dans le quartier Saint-Paul, puis dans celui des Tournelles. C'est d'ailleurs le point de départ de la vogue du Marais auprès des notables, la rive gauche étant alors en grande partie abandonnée aux moines et aux étudiants.

Durant la première partie du XVe siècle, Paris est ruiné par la guerre de Cent Ans. On ne conserve guère de cette époque qu'une tour de l'hôtel de Bourgogne, édifiée en 1411. Il nous faut donc attendre la fin du siècle, l'aube de la Renaissance, pour trouver deux témoignages importants. L'un, l'hôtel de Sens, a été presque entièrement reconstitué à une époque récente, tandis que l'autre, l'hôtel de Cluny, nous est parvenu dans un bon état de conservation.

Ainsi, nous disposons à Paris de quatre témoignages de l'hôtel médiéval dont, notons-le, aucun n'appartient à des bourgeois : deux d'entre eux sont seigneuriaux (Clisson et Bourgogne) tandis que les deux autres appartiennent à de hauts prélats (Sens et Cluny). Compte tenu de cette rareté et de l'importance de ces premières bases pour la suite, nous pouvons les examiner un par un ; rapidement pour les deux premiers, qui ne sont que d'assez maigres vestiges ; de manière plus approfondie pour les deux autres.

L'hôtel de Clisson

Il a été construit par le connétable Olivier de Clisson à la fin du XIVe siècle, vers 1375. On n'en voit plus que cette poterne, le reste ayant été détruit ou absorbé, au XVIe siècle, par l'hôtel de Guise, dont il ne reste pas grand-chose non plus car lui-même s'est fait phagocyter, au début du XVIIIe siècle, par le fastueux hôtel de Soubise.

C'est en fait une belle entrée de petit château fort gothique, flanquée de deux tours en encorbellement coiffées de leurs toits en poivrière, pittoresques bonnets pointus. Les armes de Clisson datent d'une restauration effectuée au XIXe siècle.

L'ensemble est agréable à regarder, mais nous renseigne tout de même assez peu sur les hôtels de l'époque.

L'hôtel de Bourgogne

Cet hôtel ne va pas nous être d'un plus grand secours, car il n'en reste qu'une tour, dite donjon de Jean sans Peur. Achevée en 1411, il s'agit d'une annexe de l'hôtel de Bourgogne, beaucoup plus ancien puisqu'il remontait à la fin du XIIIe siècle. Ledit Jean était d'autant moins sans peur qu'après avoir fait assassiner le duc d'Orléans, qui était à la fois son cousin et le frère du roi, il estima que le climat devenait malsain et fit construire cette tour pour trouver refuge, en cas de coup de force, dans les deux chambres fortes situées à son sommet.

Outre ces deux chambres, appareillées en bonnes pierres de taille, la tour comprend une pièce basse et une grande pièce, qui sera plus tard coupée en deux, le tout étant relié par un très bel escalier à vis dont les nervures imitent la ramure et les feuilles d'un arbre dans le plus pur style gothique flamboyant.

L'hôtel de Sens

Cet hôtel ne présente un aspect aussi homogène que parce qu'il a été presque entièrement reconstruit au milieu du XXᵉ siècle, par la Ville de Paris. Comme l'exactitude de cette reconstruction est discutable, l'hôtel est parfois plus intéressant par son plan d'ensemble que par tel ou tel détail sujet à caution.

Construit de 1475 à 1507 par l'archevêque de Sens, il héberge un siècle plus tard la reine Margot qui, répudiée par Henri IV, mène là une vie sentimentale agitée. On y exécute même à la hache l'un de ses amants éconduit qui avait trucidé son

heureux successeur. Abandonné après cet épisode sanglant, non entretenu, loué à des fins artisanales puis industrielles, l'hôtel tombe progressivement en déchéance et c'est une bâtisse à demi ruinée et défigurée que la Ville de Paris acquiert en 1911.

Avant d'être néogothique, l'hôtel a donc été gothique, sans qu'on puisse, en cette aube du XVIᵉ siècle, y déceler la moindre influence italianisante. Et pourtant, la Renaissance fleurit depuis déjà un siècle chez nos voisins transalpins et commence à s'introduire en France. L'entrée, l'un des éléments qui est resté proche de la construction d'origine, est celle d'un petit château fort avec sa poterne et ses deux tourelles en encorbellement (comme à Clisson). Elle donne sur

une cour plus ou moins trapézoïdale encadrée par des communs (écuries, cuisines, garde-manger…) au fond de laquelle se dresse le corps de logis.

L'accès à ce bâtiment se fait par une tour aux allures de donjon, elle aussi assez bien conservée. Elle dessert les étages et son accès est défendu par une « bretèche », petite construction en encorbellement qui surplombe l'entrée. Autres témoignages du gothique flamboyant, les entrées surmontées d'un arc en accolade et les grandes fenêtres à meneaux, c'est-à-dire divisées en quatre ou six par des sortes de croix de pierre. Elles étayaient ainsi la baie, et permettaient d'en augmenter la surface sans compromettre sa solidité. Enfin, de l'autre côté, on observe un jardin qui

figure déjà sur des gravures du XVIIᵉ siècle et dont on a tout lieu de penser qu'il existait à l'origine.

On se trouve donc devant la première ébauche de ce que sera la structure traditionnelle de l'hôtel particulier : un portail d'accès, une cour encadrée par les communs et un corps de logis situé entre cette cour et un jardin d'agrément. Ce qui diffère, en revanche, c'est cette absence de symétrie assez caractéristique du Moyen Âge : la cour est biscornue, la tour donjon est excentrée, une chapelle, aujourd'hui disparue, saillait de la façade et les ouvertures sont de formes et de dispositions irrégulières, placées seulement là où cela était utile, sans souci particulier d'ordonnance.

L'hôtel de Cluny

Sa construction est contemporaine de celle de l'hôtel de Sens et bien des caractéristiques leur sont communes. Construit par les abbés de la prestigieuse congrégation bourguignonne contre des thermes romains qui remontent au Ier siècle, l'hôtel est habité de manière à peu près continue (deux astronomes, un imprimeur et beaucoup d'autres locataires). Cela explique que sa conservation, lorsqu'il a été racheté par l'État au milieu du XIXe siècle, pour qu'y soit créé un musée à partir des collections léguées par du Sommerard, ait été bien meilleure que celle de Sens et que les restaurations y aient été nettement plus fidèles.

Comme à Sens, vous remarquerez que le constructeur s'est assez peu soucié de symétrie.

La cour est de forme irrégulière, limitée par un petit mur dont les créneaux d'opérette semblent plus décoratifs que défensifs. La façade est elle-même irrégulière et la tour octogonale qui servait d'entrée et d'accès aux étages est excentrée. Les bâtiments de gauche (la galerie à arcades) ne ressemblent pas à ceux de droite (la cuisine, qui sert actuellement d'entrée). La chapelle, qui saille latéralement sur le jardin, n'a pas de pendant.

De la même manière, le style de construction est encore très gothique. Les fenêtres sont encore à meneaux, les lucarnes sont surmontées de ces très belles dentelles de pierre appelées gâbles, la chapelle possède une voûte flamboyante très travaillée,

ornée de liernes et de tiercerons, qui retombe élégamment sur un pilier central haut et fin.

En revanche, l'ordonnance de Cluny donne une plus grande impression d'homogénéité, les ouvertures y sont superposées avec plus de régularité, la cour est moins biscornue et le style château fort (poterne, bretèche…) y est moins présent. On fait donc ici un pas supplémentaire vers le plan classique de l'hôtel parisien entre cour et jardin.

L'hôtel de Cluny constitue de loin le plus bel ensemble de constructions médiévales privées de la capitale. Les vestiges voisins, beaucoup plus anciens, et le très grand intérêt des collections présentées ajoutent encore à son prestige.

La Renaissance

harles VIII n'a que 24 ans, en 1494, lorsqu'il part à la conquête de Naples. La campagne commence bien, la résistance est faible, les femmes gracieuses et, plus important pour la suite, le jeune roi est ébloui par les palais italiens inspirés de l'Antiquité. Ils lui semblent frapper d'obsolescence la sombre architecture gothique. Si l'expédition se termine plutôt mal, cela n'empêche pas le roi de ramener à Amboise des architectes et une vingtaine d'artisans qui seront à l'origine de notre Renaissance.

Les châteaux fleurissent donc bientôt dans le Val de Loire. Ce ne sont d'abord que de simples châteaux forts, dotés de plus d'ouvertures qu'autrefois et d'une décoration italianisante plaquée de manière plus ou moins artificielle. Ce n'est qu'en un second temps que la rupture avec le passé se fait plus grande : ouvertures en plein cintre[1] inconnues jusqu'alors dans le style flamboyant, pilastres, motifs romains, et nouveau répertoire décoratif en très bas-relief, lui aussi totalement étranger à ce style gothique qui prisait volontiers les motifs décoratifs plus compliqués, comme le chardon et le chou.

Mais la contagion tarde à atteindre Paris. Pourtant, dès 1528, François Ier décide de résider dans la capitale ou dans les environs, à Fontainebleau notamment. Là, il reçoit les architectes italiens les plus renommés et les artistes français les plus prestigieux. Il n'empêche qu'il faudra attendre le milieu du siècle pour que les premiers hôtels particuliers Renaissance fassent leur apparition dans le Marais.

Il s'agit d'une véritable floraison, en particulier sur la « couture » Sainte-Catherine, une zone de culture lotie par les moines du prieuré Sainte-Catherine pour accroître leurs revenus. Floraison dont, à vrai dire, il ne nous reste plus grand-chose tant nous avons souvent mis d'ardeur et de talent pour éliminer les témoignages du passé. La faute en incombe à l'évolution des goûts et, surtout, à l'évolution démographique, qui favorise la spéculation, entraînant ainsi la hausse des prix (et vice versa…). C'est tout de même une dizaine d'hôtels assez bien conservés que nous allons trouver pour l'ensemble de la Renaissance. Ils sont généralement situés autour de la rue des Francs-Bourgeois, qui marque la limite de l'enceinte de Philippe Auguste et au-delà de laquelle s'étendaient autrefois les paisibles cultures du prieuré.

Au cours de cette période, nous allons en fait nous trouver devant trois styles différents : un style orné, amorcé par l'hôtel Carnavalet, un style dépouillé, et un style « brique-pierre », qui n'est que l'irruption précoce de ce qu'on appelle généralement le style Louis XIII.

(1) *C'est-à-dire surmontées d'un linteau en demi-cercle.*

Le style orné
de l'hôtel Carnavalet

Coup d'essai, puisqu'il a été construit dès 1547, et véritable coup de maître, l'hôtel Carnavalet innove en bien des domaines.

Après être passé sous son porche monumental, vous pénétrez dans la cour rectangulaire bordée à gauche et à droite par les communs. En face de vous s'élève le splendide corps de logis qui vous rappelle peut-être une autre splendeur : la cour Carrée du Louvre, dont les plans sont contemporains. On pense du reste que ceux de l'hôtel Carnavalet sont également dus à Lescot et que les sculptures qui représentent les quatre saisons, surmontées chacune du signe du zodiaque correspondant, sont aussi de Jean Goujon ou de son atelier. La décoration ne s'arrête pas là puisque des bas-reliefs de feuillages surmontent les fenêtres, que des motifs animaux et végétaux ornent les frontons des lucarnes, que d'épais bandeaux séparent les étages… Tout contribue donc à nous donner une impression de superbe foisonnement.

Deux petits pavillons qui abritent les escaliers saillent latéralement du côté cour tandis que l'autre façade domine un jardin, rectangulaire lui aussi. La balustrade qui s'allonge au pied du toit est un ajout ultérieur. De même les sculptures en moyen relief qui ornent les ailes ne nous concernent-elles pas ici, puisqu'elles ont été rajoutées plus d'un siècle plus tard sous l'égide du célèbre François Mansart. Ces quatre éléments (à gauche) et ces quatre divinités (à droite) participent cependant puissamment à la splendeur d'une des plus belles cours du Marais.

Plus important pour la suite, l'hôtel Carnavalet inaugure, à quelques variantes près, un plan que nous allons retrouver de manière récurrente jusqu'au XXᵉ siècle. Son style très orné n'a, au contraire, pas beaucoup essaimé. Il ne lui reste guère aujourd'hui qu'un héritier, somptueux mais tardif : l'hôtel Lamoignon, dont la construction commence trente-sept ans plus tard.

Dans le même esprit, l'hôtel Lamoignon

Si vous admettez avec les historiens que la Renaissance s'achève avec l'entrée d'Henri IV à Paris, en 1594, l'hôtel Lamoignon est bien un hôtel Renaissance, bien qu'il n'ait été terminé qu'en 1612. En effet, le chantier du corps de logis a été commencé dès 1584. Interrompu par les guerres de Religion, il a donc été achevé au XVIIᵉ siècle en conformité avec le plan initial.

Trois éléments de décoration spécifiques et inédits dans les hôtels nous frappent. Tout d'abord ces grands pilastres corinthiens qui s'élèvent sur deux étages (on les dit « colossaux »). Ensuite ces frontons, qui ne sont pas sans rappeler à nouveau la cour Carrée : un large fronton triangulaire surmonte la travée centrale tandis

que des frontons courbes et décorés de sculptures couronnent les pavillons. Enfin, ces très hautes lucarnes, à la limite de la disproportion, qui constituent encore un élément décoratif très inattendu.

Là aussi l'ornementation est très présente, avec cette frise qui court entre des chapiteaux feuillus, cette espèce de fausse corniche située en contrebas du toit, ces lucarnes dites passantes qui coupent la corniche et la rive du toit, ces statues de Diane chasseresse qui rappellent que c'est Diane de France qui a fait construire l'hôtel…

La prolifération ornementale présente dans ces deux hôtels, aboutit à une sorte de mise en spectacle, de mise en scène baroque suffisamment rare dans notre très classique et lumineuse tradition architecturale pour qu'on le souligne ici.

Cela dit, il faut tout de même raison garder : le délire reste sous contrôle…

Les hôtels
à façade dépouillée

L'exemple de Carnavalet a tout de suite fait école pour la disposition générale des bâtiments, la régularité des ouvertures, les symétries de toutes sortes, la forme rectangulaire de la cour et du jardin… Au contraire, la surcharge décorative inspirée des palais royaux fait place pendant un quart de siècle, jusqu'en 1575, à une architecture très dépouillée. Vous n'en trouverez plus que deux témoignages, séduisants il est vrai : les hôtels d'Albret et de Donon.

L'hôtel d'Albret semble être le plus récent alors que c'est en réalité le plus ancien. La raison en est peut-être que deux travées de fenêtre (celles qui sont en dessous des œils-de-bœuf) n'existaient pas à l'origine ; elles ont été rajoutées par la suite pour apporter plus de lumière. Dans les deux cas, cependant, malgré le dépouillement ornemental, l'ensemble, s'il est indéniablement classique, n'est

ni triste ni sévère. Cela tient peut-être à la beauté de la pierre de taille, au bel équilibre des proportions, au bandeau qui sépare les étages, à l'allure sympathique des lucarnes et aux pittoresques toits pentus.

Lucarnes : un bon air de famille

D'emblée, Carnavalet donne le ton : les lucarnes seront en plein cintre (avec un linteau en demi-cercle) et elles s'appuieront directement sur la corniche (sauf à Lamoignon, où les lucarnes sont passantes tout en s'appuyant malgré tout sur une corniche de circonstance). Elles sont flanquées de pilastres plats qui soutiennent des frontons triangulaires dont la base est le plus souvent brisée. L'inspiration italienne est ici manifeste, même si les lucarnes étaient inconnues dans la péninsule.

Dans tous les cas de figure, elles sont en belles pierres de taille et participent grandement, avec les œils-de-bœuf que l'on voit apparaître à leurs côtés, à la belle allure de l'hôtel Renaissance.

Fenêtres : rupture avec le Moyen Âge

Telle que nous l'avons vue à Sens ou à Cluny, la fenêtre médiévale est bien caractéristique : dotée de meneaux, elle est pourvue d'un encadrement complexe constitué de moulures successives plus ou moins arrondies qui vont en s'élargissant progressivement vers l'extérieur.

La fenêtre Renaissance, bien au contraire, abandonne cette complexité. Les moulures s'atténuent puis disparaissent totalement, les angles deviennent droits, les volumes sont désormais nets. Les meneaux, encore présents à Carnavalet et à Donon, s'effacent progressivement ailleurs, cédant la place soit à des baies très hautes, mais aussi très étroites pour résister au poids de la muraille, soit à de solides menuiseries qui reproduisent, en « mangeant » moins de lumière, la forme des meneaux. Notez aussi que les linteaux de porte en accolade ou en anse de panier ont totalement disparu.

Au Moyen Âge

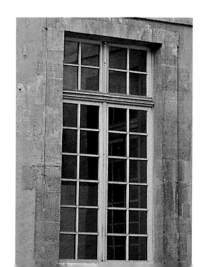

Visite dans un hôtel Renaissance

Même si Carnavalet fait figure de pionnier en adoptant un plan un peu plus complexe, la disposition générale de l'hôtel de la Renaissance est assez simple. Si vous rendez une visite courtoise au maître des lieux, vous passez tout d'abord par un grand portail dont les vantaux s'ouvrent pour laisser passer votre carrosse. Vous pénétrez ainsi dans une cour rectangulaire bordée de murs au fond de laquelle se trouve le corps de logis, qui comprend deux étages situés au-dessus d'un sous-sol. Ce sous-sol à demi enterré abrite les cuisines. En dessous se trouvent encore des caves.

Tandis que vos gens et ceux de votre hôte s'empressent, vous descendez de votre carrosse, non sans jeter un coup d'œil aux belles lucarnes en pierre de taille et au toit d'ardoises à quatre pentes très inclinées. Celles-ci s'appuient sur une corniche supportée ici par des sortes de petites consoles appelées « modillons ». Vous pénétrez dans le logis par l'un des deux petits pavillons latéraux[1], dans lequel vous trouvez l'escalier qui vous permet d'accéder au premier étage[2]. Là se trouvent les appartements du maître de maison, tandis que ceux de Madame sont au second.

Par la fenêtre, vous avez à peine le temps de contempler le jardin qui s'étend devant l'autre façade que déjà votre ami arrive et vous introduit dans l'une des grandes pièces en enfilade et à double exposition qui constituent tout l'étage. Comme l'hiver approche, il a choisi une pièce dotée d'une grande cheminée dans laquelle le lit à baldaquin a d'ailleurs été récemment transporté. Ces grandes pièces n'ont pas de fonction précise autre que celle qui leur est dévolue par la nécessité du moment grâce à un déplacement des différents meubles : ce qui est aujourd'hui chambre à coucher sera peut-être bientôt salle à manger ou salle plus ou moins commune ou les trois à la fois.

Le problème du froid est d'ailleurs loin d'être négligeable et, même si l'on tire les rideaux du lit pour la nuit, il faut être de bonne constitution pour résister, dans de grandes pièces mal isolées où les courants d'air passent d'une façade à l'autre, aux froidures de rudes hivers qui font régulièrement geler la Seine ! Ne parlons pas des domestiques, qui logent souvent sous les combles… Pendant que vous discutez, ceux-ci vaquent d'ailleurs à leurs affaires sans que personne ne s'en soucie trop. Votre entretien prend bientôt fin et votre carrosse quitte le XVIe (siècle).

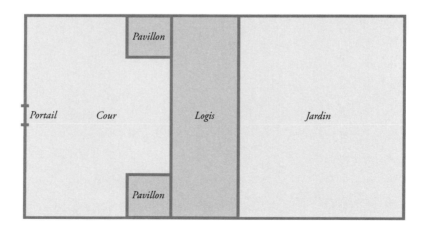

(1) Il peut aussi y en avoir deux autres côté jardin.
(2) L'entrée est parfois située, aussi,
au milieu du corps de logis, dans l'axe du portail.

Irruption
du style Louis XIII

Nous voilà bien embarrassés ! Voici que surgit l'hôtel dit Louis XIII en pleine Renaissance, lors du règne d'Henri II (1574-1589). Et il ne s'agit nullement d'une ou deux exceptions, mais bien de la règle commune.

Pour les hôtels particuliers parisiens, si l'on excepte Lamoignon, le style Renaissance ne commence qu'en 1547 pour s'achever vers 1580. Il s'étale donc sur trente-trois ans, alors que la période est censée recouvrir l'ensemble du XVIᵉ siècle ! Pour sa part, le style Louis XIII lui succède dès 1580, alors que ce roi monte sur le trône à l'âge de 9 ans, à la mort de son père, Henri IV, en 1610 ! La dénomination traditionnelle des différents styles ne doit donc être prise que pour ce qu'elle est : une appellation pratique qui ne recouvre souvent que de manière très approximative la réalité historique des règnes. Étudier, par exemple, le style Louis XV en prenant pour période de référence le règne effectif de ce roi ne serait donc qu'une entreprise inutilement complexe.

Les embarras
de Paris

D'un carrosse en passant il accroche une roue,
Et du choc le renverse en un grand tas de boue :
Quand un autre à l'instant s'efforçant de passer,
Dans le même embarras se vient embarrasser.
Vingt carrosses bientôt arrivant à la file,
Y sont en moins de rien suivis de plus de mille [...]

"N. Boileau. Satire VI"

Déjà

En 1563, le Parlement de Paris réclame « l'interdiction des voitures particulières », c'est-à-dire des carrosses, dans le centre de Paris pour cause d'encombrements. Application au XXIᵉ siècle ?

Tourelles en encorbellement et échauguettes

Ornement pittoresque des vieilles maisons et des hôtels anciens, elles sont disséminées dans Paris, aussi bien sur la rive gauche que sur la rive droite. Soulignons d'ailleurs au passage que ce côté pittoresque des encorbellements n'est pas uniquement une perception moderne : leur côté charmant et original n'échappait nullement à leurs contemporains, qui en ont parsemé la capitale.

Si l'on excepte les poternes des hôtels de Clisson et de Sens, qui sont médiévales, celles qui nous restent ont été construites au XVIe siècle ou au début du XVIIe.

La tourelle élancée de l'hôtel Hérouet, avec son fin réseau gothique en pierre, date du début du XVIe siècle. Viennent ensuite Fécamp, avec son drôle de toit en cloche et son culot décoré et,

non loin de là, Hautefeuille, avec sa haute tourelle octogonale. L'échauguette carrée de la rue Saint-Paul et celle de l'hôtel Fieubet remontent à la fin du siècle tandis que celle de l'hôtel Lamoignon, posée sur de belles trompes et de jolies consoles, date probablement des années 1610.

Le style Louis XIII
(1585-1635)

C'est certainement le style que nous reconnaissons le mieux tant les beaux accords colorés de la pierre, de la brique et de l'ardoise sont originaux et caractéristiques. La pierre sert souvent d'assise à l'ensemble de la construction. Elle est aussi très souvent disposée en relief (on parle de bossages) autour des ouvertures : portes, fenêtres, lucarnes. Comme elle est fréquemment disposée en quinconce, ou « harpages », qui se détachent sur le fond de briques, les façades donnent l'impression d'une joyeuse marqueterie. Deux bandeaux horizontaux s'efforcent de mettre un peu d'ordre dans l'ensemble. Le tout est dominé par de grands toits d'ardoise dont la hauteur étonnait déjà les étrangers en visite dans le Paris de l'époque.

L'ensemble des hôtels est assez homogène, ce qui peut paraître étonnant quand on considère que, durant cette longue période d'un demi-siècle, la construction a été bien loin d'être continue : les vicissitudes de ces époques troublées l'ont en effet interrompue à plusieurs reprises.

Les premières constructions surgissent dans les années 1580, surtout dans la « couture » Sainte-Catherine, qui avait déjà vu arriver les hôtels Renaissance. Ce premier élan est stoppé net par l'assassinat d'Henri III, en 1589, qui a été lui-même suivi d'une période très troublée de reconquête du royaume par Henri de Navarre. Lorsqu'il rentre enfin à Paris, en 1594, le siège a laissé la capitale exsangue : la population a baissé d'un tiers, 14 000 maisons des faubourgs ont été rasées, l'insécurité et la violence règnent partout, les loyers sont impayés. Avec l'aide très musclée du prévôt François Miron, Henri IV restaure l'ordre tandis que les maçons se remettent au travail pour réparer et reconstruire. Paris se transforme bientôt en une gigantesque ruche.

Ce n'est pourtant que dans les premières années du XVIIe siècle que l'édification des hôtels particuliers va reprendre. Elle est stimulée par la politique très volontaire du roi, qui fait construire des quais, la grande galerie du Louvre, le Pont-Neuf, l'hôpital Saint-Louis, la rue Dauphine (l'une des plus larges de Paris, avec près de dix mètres…), et, surtout, deux réalisations exceptionnelles : la place des Vosges, alors appelée place Royale, et la place Dauphine, qui nous concernent au premier chef car toutes les deux ne sont faites que d'hôtels particuliers accolés. Cette seconde fièvre sera cependant interrompue de manière brutale entre 1610 et 1620 par l'assassinat d'Henri IV et par la régence agitée de Marie de Médicis.

La reprise, entre 1620 et 1625, est de nouveau endiguée par les troubles qui marquent le début du gouvernement de Richelieu. La construction des hôtels ne redémarrera qu'une dizaine d'années plus tard dans un style tout à fait différent. Le style Louis XIII achève ainsi une longue et chaotique existence à mi-temps.

Disposition de l'hôtel : la cour évolue

Pendant cette période, le plan du logis change peu. Maîtres, visiteurs, enfants et domestiques y mènent une vie de famille simple, dans des pièces communicantes mal différenciées, sans trop faire cas de l'intimité ou de la pudeur des uns ou des autres.

En revanche, la disposition de la cour amorce une évolution qui ne s'achèvera qu'au cours de la période suivante : elle a tendance à s'entourer de bâtiments. Pour l'instant, il ne s'agit souvent que d'une aile qui abrite les communs. La cuisine, notamment, tend à quitter l'étage à demi enterré de l'hôtel pour y émigrer afin d'éviter au logis de pâtir des odeurs de cuisine. Sur le mur opposé, de l'autre côté de la cour, on construit alors fréquemment un « mur renard » qui simule une seconde aile dotée d'un décor symétrique de fausses ouvertures, niches, etc.

Le mur qui donne sur la rue a tendance lui-même à s'élargir pour laisser place à un véritable petit bâtiment traversé par le porche. Quant à la disposition du côté jardin, elle ne change guère, si ce n'est que l'hôtel est, plus souvent qu'autrefois, flanqué de deux pavillons séparés par une terrasse ou un perron dont l'escalier permet d'accéder au jardin. Ces deux pavillons, qui s'élèvent sur un ou deux étages, abritent généralement de petits cabinets.

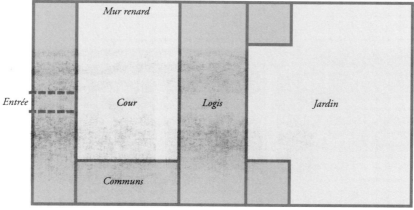

Années 1580 : les précurseurs

Ils représentent l'avant-garde du XVIIe siècle au cours de la Renaissance française. Dans les exemples qui nous en restent, on reconnaît d'emblée l'allure générale de l'hôtel Louis XIII, même si la brique en est absente. À la place vous trouvez des moellons, c'est-à-dire des pierres mal équarries, recouvertes d'un crépi.

Bondeville, dont la date de construction est incertaine, semble bien illustrer la transition puisque ses lucarnes sont typiquement Renaissance et que les montants des fenêtres sont encore droits, sans ces harpages que l'on va trouver plus tard. En revanche, elles sont surmontées de beaux frontons en arc de cercle – dont la base est interrompue par une clé de linteau en fort relief – typiques du style Louis XIII.

De la même période datent Savourny et Sandreville qui, bien qu'ils se dissimulent dans des arrière-cours, n'ont rien à envier aux autres hôtels Louis XIII. On peut aussi noter au passage que le palais abbatial de Saint-Germain-des-Prés, édifié en 1586 en même temps que Savourny et Sandreville, est pour sa part construit en brique et pierre. Il ressemble d'ailleurs fort à un hôtel particulier.

L'usage de la brique

La brique, gaie et colorée, est un élément d'identification du style d'autant plus précieux qu'elle est assez rare en France : lorsque la mode en sera passée, il faudra attendre quelque trois siècles, dans les années 1890, pour que Guimard la remette en faveur dans les hôtels. En vérité, l'alliance de la pierre et de la brique n'est pas tout à fait nouvelle à Paris. On en connaît déjà des exemples dès la fin du XVe siècle (maison Cœur) et dans les années 1530 (hôtel Scipion).

En plus de son bel aspect, qui n'échappait nullement aux contemporains, la brique présente l'avantage d'être beaucoup moins chère que la pierre de taille. Cependant, si son usage est fréquent, il n'est pas exclusif : elle peut n'être qu'un simple parement dissimulant un mur de moellons. Elle peut aussi être totalement absente, remplacée, rarement, par de la pierre de taille ou, plus fréquemment, par un mur de moellons dissimulés par un crépi clair.

Les fenêtres

On les reconnaît sans difficulté, et pourtant, lorsqu'on entreprend de les détailler, on s'aperçoit qu'elles ne sont pas sans variété.

Les linteaux sont droits, constitués de pierres appareillées en relief plus ou moins accentué. Ils sont surmontés de frontons triangulaires ou en arc de cercle dont la base est interrompue par les pierres du linteau. Il arrive cependant aussi, surtout durant la dernière période, celle des années 1620, que la baie soit couronnée par une simple corniche.

Les montants sont le plus souvent constitués de pierres disposées en harpage, c'est-à-dire dont les dimensions alternent régulièrement. Mais certains d'entre eux sont en relief tandis que d'autres sont plats. Vous en verrez même qui sont constitués de pierres de taille dressées verticalement et régulièrement entaillées de fentes superposées (lignes de refend).

Vous remarquez aussi que la quasi-totalité des meneaux de pierre ont disparu. En revanche, la forme elle-même des ouvertures peut varier. Ainsi, vous trouvez, notamment au début du siècle, des fenêtres très hautes et très étroites qui vont du plancher au plafond.

Lucarnes : la diversité

On y retrouve les mêmes variations que dans les fenêtres, mais avec quelques fantaisies supplémentaires dont deux sont assez fréquentes. Tout d'abord, il vous arrivera de voir de jolis frontons en chapeau de gendarme d'un goût très italianisant. Surtout, vous observerez, à peu près une fois sur deux, de jolies joues le long des montants, qui assouplissent la silhouette des lucarnes Louis XIII, et leur donnent même prématurément un petit air Louis XV !

La place des Vosges, triomphe du style Louis XIII

Les vingt-deux hôtels présents sont vraiment très particuliers puisque leurs corps de logis donnent directement sur la place, sans doute pour permettre de contempler les carrousels somptueux qui s'y donnaient. La cour et, éventuellement, le jardin sont rejetés à l'arrière. La place est composée de 36 pavillons (9 x 4) identiques, sauf les pavillons du roi (côté Saint-Antoine) et le pavillon de la reine (à l'opposé). C'est dire que les limites de propriété ne recoupent pas celles des pavillons, certaines englobant deux pavillons, un et demi, un seul ou même un demi.

Pour vous y retrouver, un bon moyen consiste à observer les appuis des fenêtres. Ceux-ci n'existaient pas à l'origine et chacun en a rajouté à son gré par la suite sans unité particulière.

Mais, avec certaines lucarnes, ce sont là les seuls éléments de différenciation des pavillons. Le roi Henri IV les avait en effet soumis en 1605 à un plan d'ensemble et à des contraintes qui, par miracle, ont été respectées jusqu'à nos jours, même si, dès l'origine, certains propriétaires, dont le roi lui-même, ont remplacé la brique par une imitation peinte. À noter que la hauteur des façades est presque égale à leur largeur et à deux fois la hauteur des toits.

La charmante place Dauphine

Cette place date de la même époque. Elle a cependant été plus touchée par les destructions, les modifications et les surélévations, même si elle a conservé beaucoup de charme. Seuls les deux pavillons de pointe tournés du côté Vert-Galant conservent leur aspect initial.

En raison de leurs dimensions, de leur absence de cour ou de jardin particulier, de la vocation en partie commerciale des façades qui donnent sur les quais, et aussi du fait que leurs habitants étaient surtout des hommes de loi, les pavillons ont toujours été plus considérés comme des maisons que comme des hôtels particuliers. Leur aspect rappelle néanmoins à bien des égards celui des hôtels de la place des Vosges.

Un hôtel atypique : l'hôtel Sully

La première particularité de ce merveilleux hôtel construit entre 1624 et 1634 est d'être bâti tout entier en pierre de taille. Une fois passé un porche flanqué de deux beaux pavillons aux frontons cur-vilignes, on arrive dans une somptueuse cour entièrement close, décorée de statues représentant, sur les deux ailes et sur les façades du logis, les quatre éléments et les quatre saisons. Ces statues sont elles-mêmes complétées par un décor sculpté très présent qui donne une impression de magnifique profusion, rappelant plus Carnavalet ou Lamoignon que nos hôtels Louis XIII.

L'air

Le feu

L'automne

L'hiver

Un très bel escalier sur rampe en pierre, au plafond sculpté, est placé
en position centrale. Cette disposition était généralement abandonnée à
l'époque car elle présente l'inconvénient de couper chacun des appartements en deux parties.

L'hôtel possède donc quelques traits archaïques. En revanche, il est par
d'autres aspects plutôt en avance sur son temps. La cour, par exemple, est
dotée de deux ailes symétriques qui se terminent par deux massifs pavillons
sur rue, disposition qui annonce la période suivante.

Classiques
ou baroques,
les hôtels Louis XIII ?

On se souvient que, au cours du XVIe siècle, l'épicentre de la Renaissance architecturale italienne s'est déplacé de Florence à Rome. Là, petit à petit, Michel-Ange aidant, le style des palais est devenu de plus en plus savant et baroque. Cette vague baroque a fini par déborder des Alpes et par déferler sur nos voisins, l'Angleterre exceptée. Qu'en est-il pour nous ? Pouvons-nous considérer les hôtels Louis XIII comme des hôtels baroques ?

Les bossages, refends, harpages et bandeaux, les différentes couleurs des matériaux utilisés, les libertés parfois prises dans le rythme des ouvertures et la profusion de certains décors feraient plutôt pencher la balance vers le baroque.

Et pourtant, les témoignages classiques ne manquent pas : frontons des fenêtres et des lucarnes, symétries, uniformité des deux grandes places royales, pilastres çà et là… Mais il faut dire que tous ces éléments sont utilisés avec une certaine fantaisie et que les différents ordres architecturaux classiques (dorique, ionique, corinthien) sont disposés sans trop le souci des normes et canons de rigueur.

En réalité, et comme souvent, nos velléités baroques sont vraiment bien tempérées par notre amour de l'équilibre et du juste milieu. Celui-ci apparaît clairement lorsque l'on compare l'architecture française avec les délires architecturaux du style plateresque espagnol et, un peu plus tard, du rococo allemand.

Deux exceptions, cependant, pour deux porches. Alors que ceux de l'époque sont plutôt sévères, souvent dotés de robustes mais rustiques vantaux cloutés, les architectes des hôtels d'Alméras et de Châlons-Luxembourg ont donné libre cours à une étonnante créativité. Ce ne sont que courbes et contre-courbes, frontons compliqués, consoles soutenues par des béliers, lions chevelus, coquilles délicatement ourlées…

Derrière, les hôtels eux-mêmes sont beaucoup plus sobres. Un grain de folie pour la galerie et une bonne dose de sagesse pour le quotidien !

Le style Louis XIV
(1635-1700)

es quelques hôtels des années 1630 qui ouvrent cette longue période s'appliquent à effacer les traits les plus caractéristiques du style Louis XIII : les briques disparaissent, les chaînages de pierre, qui saillaient de la façade, s'enfoncent dans le mur et reviennent à son niveau, les lucarnes se simplifient. Il en résulte déjà un gros changement. Les façades, désormais lisses, s'assagissent, tandis que d'autres éléments architecturaux viennent sur le devant de la scène, tels que le rythme des pleins et des vides – la juste cadence, disait-on – et l'harmonie des proportions.

Cela restera l'un des traits essentiels de ce nouveau style, classique entre tous, tout au moins pour ce que nous en voyons à l'extérieur (le décor intérieur est plus exubérant). Ce classicisme correspond, rappelons-le, à la création de l'Académie française, aux grandes pièces de Corneille, aux trois règles de l'unité dramatique, au Discours de la méthode de Descartes, aux thèses de Pascal…

Ce sont pourtant les années 1640 qui voient fleurir les innovations les plus importantes, au cours d'une période où la construction repart à la fois dans le Marais et sur une île créée de toutes pièces et lotie en une seule fois : l'île Saint-Louis.

La première de ces innovations est l'invention du comble brisé, qui a plusieurs conséquences immédiates. Tout d'abord, elle modifie profondément la haute silhouette de l'hôtel parisien. Ensuite, les possibilités qu'elle ouvre dans l'aménagement intérieur entraînent tout à la fois un bouleversement de l'ordonnance des pièces et de la manière d'y vivre : on commence à pouvoir se ménager des lieux où chacun peut se retirer quand il le désire. Cette première irruption de la vie privée et de l'intime constitue les prémices d'une longue évolution que l'on va suivre ici jusqu'au XXe siècle.

La disposition des bâtiments se modifie aussi, prolongeant les tendances amorcées antérieurement. Par exemple, la cour se garnit progressivement de différentes constructions aux fonctions diverses. Au contraire, le jardin a tendance à se dégager, puisque les petits pavillons latéraux qui flanquaient le logis s'effacent progressivement.

Quant au répertoire ornemental du style Louis XIV, il est en général assez simple. Tout d'abord, vous trouvez fréquemment des chaînes de refends verticales, superposition de pierres de taille en léger relief dont les joints horizontaux sont nettement marqués en profondeur. Ces refends peuvent être remplacés, tout au long de la période, mais de manière sporadique, par des pilastres classiques, sortes de colonnes plates engagées dans le mur et en légère saillie par rapport à lui. Enfin, autre ornement classique, le fronton, que vous trouvez du côté cour, du côté jardin ou des deux côtés.

Ces éléments décoratifs venus tout droit de l'Antiquité gréco-romaine atténuent à peine, on le voit, la magnifique austérité de l'hôtel Louis XIV.

De nouveaux plans

Le plan classique comprend une cour avec deux ailes symétriques. Il est cependant de plus en plus battu en brèche par la création d'une cour secondaire, la basse-cour, autour de laquelle les communs regroupent les différents services de l'hôtel : les écuries (il pouvait y avoir jusqu'à vingt chevaux), les remises à carrosses, les cuisines, lesquelles quittent ainsi définitivement les sous-sols du corps de logis, le garde-manger, le fruitier, la buanderie, le fournil, la salle à manger des domestiques… Dans les communs, les gens du commun, et dans le corps de logis, les gens de qualité !

De l'autre côté de la cour, vous trouvez soit une autre aile, souvent avec des arcades surmontées d'une galerie où le maître de maison peut recevoir dans les grandes occasions et montrer les tableaux de sa collection, soit un « mur renard », fausse architecture ou mur peint destiné uniquement à satisfaire l'œil. Notez d'ailleurs en passant que cette basse-cour latérale n'altère pas la symétrie apparente de l'ensemble : la façade sur cour semble seulement plus étroite que la façade sur jardin.

Il faut souligner que cette formule originale n'est pas tout à fait nouvelle. Elle a été intégralement inventée… un siècle plus tôt, à l'hôtel Carnavalet, sans susciter, à l'époque, de postérité particulière.

Ce plan à basse-cour n'est cependant pas le seul possible. Vous trouverez en effet des hôtels dont les corps de logis donnent, pour différentes raisons, directement sur rue. C'est le cas, tout d'abord, des hôtels des deux places royales de l'époque, la place Vendôme et la place des Victoires, tout comme pour les hôtels de la place des Vosges à la période précédente. De la même manière, tous les hôtels de l'île Saint-Louis, dont les parcelles sont assez courtes, contemplent sans obstacle le spectacle du fleuve (et il était animé !). Enfin, certaines parcelles aux formes atypiques ont stimulé la créativité des architectes, comme les 17 côtés du terrain de l'hôtel de Beauvais ou encore comme l'exceptionnelle situation de l'hôtel Lambert, en éperon sur l'île Saint-Louis, où Le Vau, encore tout jeune architecte, révèle son génie.

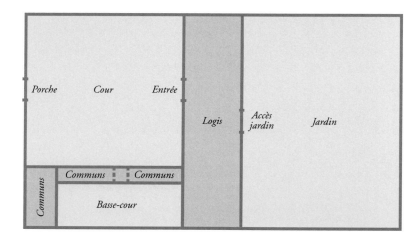

La petite révolution des toits à la Mansart

L'hôtel Lambert, achevé en 1644, est justement le premier hôtel dont les toits, dans la cour, sont brisés en deux parties : un versant inférieur proche de la verticale, le brisis, et une partie supérieure en pente très douce, le terrasson. Celui-ci est recouvert de tuiles, tandis que le brisis est en général couvert d'ardoises.

Ces toits brisés se répandent alors comme une traînée de poudre car ils résolvent magistralement un problème auquel les architectes n'en finissaient plus de se heurter. On pensait alors que les toits très pentus étaient indispensables pour assurer une bonne étanchéité sous les cieux humides de Paris. L'extension du logis en était fort limitée, car tout élargissement entraînait une débauche de lourde poutraille pour soutenir le toit. Or le comble brisé permet de doubler la largeur sans aucune difficulté, d'autant que rien n'empêche d'élever transversalement un mur porteur intérieur (de refends) pour soulager le porte-à-faux central.

La silhouette de l'hôtel s'en trouve dès lors très modifiée, d'autant que, contrairement à ce que l'on faisait autrefois, chacun des bâtiments de l'hôtel n'est plus recouvert de sa propre toiture, mais que toutes les constructions de même hauteur sont désormais englobées sous le même toit. On gagne ainsi en simplicité et en unité ce qu'on a perdu en pittoresque.

Mais l'extérieur n'est pas seul en cause : les modifications touchent aussi l'intérieur du logis. D'une part, les combles sont ainsi rendus beaucoup plus logeables. On a même parfois superposé deux brisis de pentes légèrement différentes de manière à créer deux étages de combles habitables. D'autre part, l'augmentation de la largeur disponible permet d'augmenter le nombre de pièces et, notamment, d'avoir des pièces qui donnent sur cour et d'autres sur jardin. Cet abandon des salles à double exposition qui se commandent les unes les autres aura lui-même d'importantes conséquences sur le déroulement de la vie privée.

Un nouveau type de lucarne

Le comble brisé qui fait disparaître les grands toits rend les hautes lucarnes de pierre moins évidentes et l'on voit désormais fleurir des lucarnes en bois prises dans la charpente. Grises comme les ardoises du brisis et les ciels parisiens, elles sont aussi plus discrètes.

Les lucarnes de pierre n'en disparaissent pas pour autant, et vous les trouverez, surmontées de leurs frontons triangulaires ou arrondis, aussi fréquemment que les lucarnes de charpente. Seule modification, la base de ces frontons n'est plus jamais brisée comme elle l'était précédemment, apportant ainsi une note plus sage et plus classique.

Il existe cependant une troisième option, plus rare il est vrai, qui correspond au désir de mieux copier l'antique en donnant l'illusion d'un toit-terrasse. L'architecte prévoit alors un toit en pente très douce, souvent en retrait de la corniche et parfois dissimulé par une balustrade en pierre. Les lucarnes n'y ont plus ni place, ni fonction.

Des pavillons
qui s'amenuisent

Les jolis pavillons qui flanquaient le corps de logis lors de
la période précédente diminuent progressivement. Après avoir
été absorbés du côté cour, ils s'amenuisent rapidement du côté
jardin, ne laissant bientôt plus subsister que deux légères avancées comparables à cet avant-corps central qui est presque de
rigueur. Enfin, ultimes victimes du progrès de l'unité et de la
rigueur classique, celles-ci s'effacent sans laisser de traces.

Pilastres contre refends

La chaîne de refends verticale est désormais très fréquente. C'est une superposition de pierres en léger relief dont les séparations sont fortement marquées. Disposée le plus souvent aux angles et de part et d'autre de l'avancée centrale, elle contribue à caler l'édifice, à l'encadrer, à accentuer l'impression de solidité et d'ancrage au sol.

Les refends sont parfois remplacés par des pilastres, sortes de colonnes plates engagées dans la maçonnerie, qui accentuent encore le côté antiquisant de l'ensemble. On y retrouve indifféremment les trois ordres classiques – dorique, ionique et corinthien – qui peuvent être utilisés sur un seul étage ou sur plusieurs. Notons d'ailleurs que, contrairement aux fantaisies du style Louis XIII, on s'attache à respecter les sacro-saints canons. Ainsi, lorsque plusieurs ordres sont superposés, le corinthien, qui symbolise le feuillage, domine l'ionique (les branches), qui est lui-même au-dessus du dorique (le tronc).

Vous trouverez aussi des pilastres dits colossaux qui s'élèvent sur deux étages, contribuant à accentuer la monumentalité de l'ensemble.

Fréquents frontons

Coiffant généralement l'avant-corps central, ils sont courants à partir de 1640 (mais pas obligatoires). Vous pouvez les trouver du côté cour comme du côté jardin. Triangulaires ou arrondis, et même les deux à l'hôtel Salé, ils mêlent le plus souvent armoiries du propriétaire, sculptures mythologiques ou symboliques et nombreux « putti » (bambins, angelots).

Vous pourrez même découvrir, près de
la place des Victoires, deux étranges frontons en forme de vagues affrontées. Il est
vrai que tout est étrange et séduisant dans
ce petit hôtel de Jaucourt aux deux tourelles
montées sur trompes, où le regard se perd
en de fausses symétries. Même sa date de
construction prête à discussion !

Le fer forgé envahit les balcons

Jusqu'au début des années 1640, le balcon est un ornement rare : on se souvient du premier balcon, arboré par le pavillon du roi sur la place des Vosges, qui était supporté par des consoles en pierre et dont la balustrade était elle-même en pierre. Après 1640, le fer forgé apparaît et les balcons, allégés, soulagés, commencent à se multiplier. Vous en avez de bons exemples dans l'île Saint-Louis, de l'hôtel Lambert à l'hôtel de Lauzun, quai d'Anjou et, plus encore, du côté de la rive gauche, sur ce quai de Béthune qui fut très vite surnommé, pour cette raison, quai des Balcons.

Rampes, fer forgé généralisé

Vous remarquerez que la ferronnerie n'était pas tout à fait inconnue à l'époque. En effet, elle ornait déjà, depuis les années 1620, ces nouveaux escaliers à vide central qui permettent d'implanter l'escalier d'honneur dans de somptueuses et lumineuses cages d'escalier. Comme le fer forgé succède aux balustres en bois, il en reprend souvent le thème de manière stylisée. Ces motifs sont reliés entre eux par des colliers métalliques.

Les vantaux cloutés disparaissent progressivement

Dès 1645, les robustes et rustiques portails aux vantaux cloutés disparaissent, et force est de constater que c'est encore une innovation de Le Vau à l'hôtel Lambert. Ils sont remplacés par des portails aux vantaux très lisses et géométriques. Ceux-ci laissent eux-mêmes bientôt place à des vantaux plus ouvragés, sans se départir pour autant de la rigueur et de la symétrie qui sont la marque du style. Certains portent encore le fer plat qui les protégeait des moyeux des carrosses.

Le porche lui-même, assez souvent une simple arcade parfois ornée d'un fronton ou d'un mascaron, reste très classique.

Place Vendôme et place des Victoires

Le style Louis XIII s'était illustré par deux places royales. De même, Louis XIV a construit deux belles places qui ont beaucoup de points communs et quelques différences intéressantes.

D'abord, il faut remarquer que le grand Jules Hardouin-Mansart, qui est l'auteur des plans dans les deux cas, s'est fortement inspiré de l'hôtel Lulli, construit par Daniel Gittard quinze ans plus tôt : mêmes rez-de-chaussée à arcades, mêmes pilastres colossaux, mêmes combles avec lucarnes et œils-de-bœuf, et même… réussite architecturale.

Cependant, alors que la place des Victoires, construite en 1686, est gracieuse et assez féminine grâce à sa forme circulaire (une véritable innovation) et à ses pilastres ioniques, la place Vendôme, peut-être à cause des dimensions supérieures de ses frontons et de ses colonnes corinthiennes, semble plus imposante et majestueuse. Autre différence, la place Vendôme, dont le plan a été refait plus tardivement, en 1699, possède des ouvertures cintrées qui annoncent clairement le style Régence.

Un hôtel d'architecte

À vrai dire, ce petit hôtel, avec son immense fronton et ses niches circulaires aux empereurs romains, n'est pas très représentatif de ses contemporains. C'est l'architecte Libéral Bruand qui l'a construit pour son propre usage, en 1687, mais qui n'y a jamais vécu, préférant le louer. Une petite merveille d'harmonie et d'équilibre.

Naissance de la vie privée

Le toit à la Mansart permet de doubler le nombre de pièces, certaines donnant sur cour et d'autres sur jardin. Il en résulte que les maîtres ont désormais la possibilité de se retirer, sans être dérangés par les allées et venues des uns et des autres. Certaines pièces, autrefois indifférenciées, comme « la salle », que l'on pouvait utiliser à toutes sortes de fins suivant les saisons ou l'heure du jour, disparaissent pour laisser place à des lieux clairement identifiés (galerie, salle à manger…). On reçoit pourtant toujours dans sa chambre, mais les cabinets privés et la garde-robe font leur apparition. Le lit lui-même se privatise un peu en se retirant dans une alcôve.

Cette privatisation est accentuée par la création de la basse-cour, qui reporte hors de l'hôtel une grande partie de la vie domestique. Maîtres et serviteurs ont ainsi d'autant moins d'occasions de se rencontrer qu'ils ont désormais des escaliers d'accès séparés : l'escalier central a disparu au profit de deux escaliers latéraux. Un escalier d'honneur se déploie donc du côté galerie, tandis que l'on a accès à l'escalier de service du côté basse-cour.

Même si les appartements du maître et de la maîtresse de maison restent séparés et à des étages différents, on assiste donc aux prémices de la montée de l'intimité et du confort bourgeois qui, au fil des âges, vont empiéter à la fois sur la vie simple et collective d'antan et sur la fonction de parade sociale dévolue au courtisan.

Le style Régence
(1700-1723)

**L**a régence proprement dite se déroule de 1715 à 1723. C'est pourtant dès le début du XVIIIe siècle que le style Louis XIV commence, par petites touches, à s'assouplir. En effet, une fois passé sa grande époque de splendeur, le règne de Louis XIV sombre peu à peu dans les embarras financiers, économiques, militaires et religieux. À Versailles, où le Roi-Soleil réside depuis 1682, Madame de Maintenon fait régner une telle atmosphère de suspicion et de bigoterie que les courtisans s'installent de plus en plus ouvertement à Paris pour y mener plus joyeuse vie. Les nouveaux hôtels particuliers y fleurissent donc, dans le Marais tout d'abord, puis, à partir de 1710, dans le faubourg Saint-Honoré et le faubourg Saint-Germain.

Ce transfert parisien s'accompagne lui-même d'un passage progressif du style du Grand Siècle vers une manière plus souple, plus gaie, plus insouciante et moins éprise d'antiquité gréco-romaine. Les linteaux droits se raréfient, remplacés par des linteaux cintrés ou en plein cintre (en demi-cercle). Les fenêtres s'ornent de plus en plus de souples appuis en fer forgé tandis que des mascarons ou des clés sculptées les surmontent. Des consoles plus chantournées viennent s'accrocher à la façade, alors que les pilastres et autres antiques piliers se limitent désormais aux avant-corps.

Au regard de ces transformations progressives – elles se sont étalées sur près d'un quart de siècle –, on peut se demander s'il existe vraiment un « style Régence ». Devant les hôtels de l'époque, vous remarquez souvent, en effet, que certains éléments relèvent du Grand Siècle et d'autres du style Louis XV qui va suivre. C'est dire que votre sagacité pourra être mise à l'épreuve devant un style de transition qui, pour être hybride, n'est pas pour autant disgracieux : les architectes d'alors ont su passer harmonieusement de la splendeur du Roi-Soleil aux élégances du Bien-Aimé.

Le Marais : les débuts de la désaffection

La morosité qui règne à la cour redonne toute son importance à la capitale, qui redevient le centre de la vie intellectuelle et mondaine. On fuit la cour pour se faire construire de beaux hôtels dans ce nouveau style dénoncé par les moralistes de la cour comme frivole et licencieux. Si les premiers hôtels du siècle (jusqu'en 1710) sont encore dans le Marais, celui-ci commence maintenant à être saturé. Les terrains y sont chers et exigus. Aussi la spéculation se porte-t-elle très vite vers d'autres secteurs de la capitale : le faubourg Saint-Honoré (l'Élysée, par exemple) et, surtout, le faubourg Saint-Germain (comme Matignon).

Cette progression vers l'ouest sur les deux berges de la Seine a de multiples avantages. Tout d'abord, elle permet de se rendre à Versailles sans avoir à affronter les encombrements du centre de Paris. Plus tard, lorsque le Régent s'installera aux Tuileries, on se trouvera même encore plus proche de la cour (le pont Royal que Louis XIV fait construire de ses deniers, en 1689, relie en effet la rue du Bac aux Tuileries). Et surtout, ces nouveaux quartiers, conquis sur les champs et les cultures maraîchères, permettent d'acquérir à moindre frais de vastes terrains sur lesquels financiers, aristocrates, membres de la famille royale, même, se font construire de fastueuses demeures.

Ces nouveaux hôtels se trouvent surtout rue Saint-Honoré et rue du Faubourg-Saint-Honoré, pour la rive droite, rue de Varenne, rue de Grenelle, rue Saint-Dominique et rue du Bac, pour la rive gauche.

Portes et fenêtres : le triomphe de la courbe

Tout au long de ce premier quart de siècle, les linteaux droits vont se raréfier et les courbes, qu'il s'agisse du demi-cercle (le « plein cintre ») ou du simple cintrage, se généraliser. En début de période, l'hôtel Le Brun (1701) est par exemple encore très

Louis XIV : toutes les ouvertures y sont droites, sauf l'entrée et les soupiraux. Vers 1723, en revanche, on a du mal à trouver la moindre ouverture à linteau droit. Dans l'intervalle, il n'est pas rare de trouver des linteaux cintrés à l'extérieur de l'embrasure et droits à l'intérieur, comme si on avait entaillé la pierre vers le haut sans modifier sa découpe intérieure rectangulaire (ce qui simplifie la confection des huisseries).

On a quelque difficulté à établir la moindre autre règle concernant la disposition des différents types de linteaux. Tout au plus peut-on noter une plus grande présence du plein cintre dans la partie de la façade en avancée centrale.

Ces ouvertures sont de plus en plus souvent couronnées d'un mascaron ou d'une pierre de clé en forme d'écu, de console ou de motif rocaille. Les thèmes de ces mascarons peuvent être empruntés à l'Antiquité, au bestiaire ou présenter, tout simplement, de belles et nobles figures qui se détachent sur un motif rocaille.

Notons enfin que, d'une manière générale, l'ornementation est plus riche du côté jardin. Celui-ci est d'ailleurs plus réservé à l'intimité, aux proches de la famille et aux hôtes que l'on veut honorer. C'est du reste de ce côté que donnent les chambres et la salle de réception. Le côté cour, sur lequel donnent escaliers, antichambres et cabinets divers, se veut plus imposant, plus sévère, plus propice à impressionner le visiteur.

Les fers forgés s'assouplissent

Légers, décoratifs, laissant passer la lumière, les fers forgés se répandent un peu partout dans l'hôtel. Ils ont déjà remplacé la pierre dans les rampes d'escalier et les lourds balustres de pierre sur les balcons. Ils envahissent les appuis des fenêtres du bel étage qui, en descendant de plus en plus près du sol, nécessitent des garde-corps.

Les motifs de cette ferronnerie évoluent lentement de la répétitivité, de la symétrie et des formes qui évoquent les anciens balustres vers les formes plus libres et plus déliées, qui caractériseront le style Louis XV.

De longues consoles

Souvent anthropomorphes, elles s'allongent en dessous des balcons, soutiennent les arcs et les frontons des portails ou du bel étage, encadrent les fenêtres. Sans constituer pour autant un motif caractéristique, on les voit apparaître suffisamment souvent pour qu'elles attirent l'œil.

Porches : un élément décoratif inattendu

Certains, tel ce porche aux statues de la rue de Tournon, sont encore très Louis XIV. En général, ce sont de grandes et majestueuses arcades, de plus en plus décorées à mesure que l'on avance dans le temps. Elles sont parfois flanquées de longues consoles très ouvragées ou ornées de mascarons. Les vantaux eux-mêmes passent progressivement d'une facture austère à un style plus ouvragé et fleuri. Les marteaux des portes suivent la même évolution.

Vous voyez aussi apparaître ici un autre ornement, plus inattendu mais très typique : la caméra-vidéo. Quittant l'agréable Marais, qui offre au visiteur curieux bien des possibilités de découvrir des merveilles, vous voici maintenant plus à l'ouest dans les sphères du pouvoir : les beaux hôtels sont devenus des palais de la République qui abritent désormais secrétariats d'État, ministères, représentations diplomatiques, présidence…

Frénésie sécuritaire aidant, il n'est plus de sous-sous-secrétariat d'État sans le moindre intérêt médiatique qui n'ait son lot de cerbères de tout poil qui se précipitent dès que vous prétendez jeter un coup d'œil ou, sacrilège, photographier la façade d'un de ces édifices qui, somme toute, appartiennent plus au domaine public qu'à leurs présents locataires !

Des précautions qui se justifient pour quelques administrations semblent au contraire totalement dénuées d'intérêt pour la plupart des autres.

D'ailleurs, des solutions intelligentes existent pour satisfaire la curiosité des uns tout en sauvegardant la tranquillité des autres (voir l'écran de verre du ministère du Commerce). L'ambiance un peu compassée des longues rues du faubourg Saint-Germain n'en serait pas forcément dégradée.

Une magnifique exception : Soubise

Il s'agit de l'un des derniers grands hôtels du Marais (1708). Tout y est splendide et tout y étonne.

L'entrée en demi-lune sur une cour d'honneur bordée de colonnes composites est, par son style comme par sa conception, sans égale dans le Marais. La somptueuse façade comprend aussi, en rez-de-chaussée, une enfilade de ces doubles colonnes qui ont généralement disparu ailleurs. Aucune des fenêtres n'est cintrée, ce qui ne correspond pas non plus à la tendance de l'époque. De hautes toitures assez anachroniques rappellent que l'architecte Pierre-Alexis Delamair a repris un ancien bâtiment du XVIᵉ siècle, l'hôtel de Guise. Si le fronton a perdu les armoiries qui l'ornaient, la façade a gardé son ornementation d'époque (ou des copies) avec, notamment, les six statues de Robert le Lorrain. Et puis, merveille, vous pouvez vous promener dans la cour d'honneur autant que vous voulez...

Le style Louis XV
(1723-1760)

Alors que Louis XV retourne à Versailles, les clubs, cafés et salons parisiens, où encyclopédistes et philosophes agitent les idées nouvelles, fleurissent à Paris. Au même moment, les années 1720 et 1730 correspondent à une période de forte expansion économique et démographique qui favorise la construction : des rues entières se dessinent et les hôtels, jusqu'ici clairsemés, surgissent dans le faubourg Saint-Germain comme d'un coup de baguette magique. Dans le Marais aussi on rénove, ou même, on détruit des hôtels plus anciens pour se mettre au goût du jour de l'aristocratique rive droite.

Colonnes, pilastres, toits plus ou moins en terrasse et, avec eux, toutes les références à l'Antiquité sont emportés par le vent de l'histoire. Les hôtels s'assouplissent et l'ornement gracieux est de plus en plus présent. Attention, cependant : même si l'ornement rocaille trouve place sur les façades, le baroque un peu fou et le rococo germanique ne sont pas de mise. Le classique style Louis XIV, qui s'est lentement transformé envers et contre les admonestations de la cour pendant un quart de siècle, a fini par engendrer une architecture complètement originale, unique dans notre histoire et en Europe : une sorte d'accord improbable entre la mesure et la grâce, l'équilibre et la séduction, la sobriété et le raffinement.

L'exubérance des décors est strictement limitée à la décoration intérieure : les façades restent retenues, élégantes, distinguées. Les parties sculptées concernent surtout le haut des ouvertures (mascarons, cartouches, agrafes) et les consoles des balcons. Jamais elles

ne semblent surajoutées : elles font totalement corps avec l'appareillage de belles pierres blondes qui constituent les nouveaux bâtiments. De manière analogue, même si les ferronneries des balcons et des escaliers sont libres, déliées et gracieuses, leurs grandes volutes ne donnent pas pour autant une impression de foisonnement baroque ou de surcharge.

En définitive, c'est parfois dans les porches et les portails que vous trouverez la plus grande fantaisie, sans que l'on puisse parler, là encore, de frénésie exaltée. Il s'agit plutôt de faire savoir à tout un chacun que vous tenez votre rang, que vous êtes bien au goût du jour, que vous ne restez pas échoué sur le rivage tandis que déferle lentement la vague scintillante de la mode…

L'effervescence va cependant se calmer assez vite. La popularité du « Bien-Aimé » ne résiste pas aux gaspillages de la cour et à l'influence des favorites. À l'extérieur, la rivalité franco-anglaise tourne vite à notre désavantage et entrave un commerce auparavant prospère. La situation financière se détériore, l'argent manque et la construction des hôtels connaît un coup d'arrêt brutal : rares sont les hôtels achevés entre 1745 et 1760.

Nouveaux plans

L'hôtel entre cour et jardin ne disparaît pas. Les coups de canif au dogme se font cependant plus fréquents. Ils sont surtout de deux sortes.

Tout d'abord, il arrive que les murs ou les pavillons qui fermaient la cour du côté rue se transforment en un véritable bâtiment de plusieurs étages. Ce dernier pourra avoir un usage locatif fort utile pour tenir son rang dans l'hôtel voisin, auquel on accédera donc par un long porche. La formule est d'ailleurs si intéressante que l'on ne se prive pas de l'appliquer sur d'anciens hôtels du Marais, raccourcissant et obscurcissant ainsi la cour existante. Une autre modification, illustrée par plusieurs beaux exemples rue du Cherche-Midi, consiste à supprimer purement et simplement la cour, ou à la repousser à l'arrière, de manière à gagner de la place en plaçant le logis directement sur rue. Le soin apporté à la construction, ses dimensions et le statut social de ses occupants ne laissent cependant pas de doute quant à l'appellation d'hôtel particulier.

Règne des mascarons, cartouches, agrafes, consoles…

De même que toutes les fenêtres ne sont pas cintrées ou en plein cintre, de même toutes les clés de linteaux (c'est-à-dire le claveau central) ne sont pas décorées. Le maître d'ouvrage et son architecte sont en effet libres d'ordonnancer la façade en fonction de leurs goûts et de leurs moyens financiers. Il n'en demeure pas moins que l'on trouve là une grande variété d'ornements qui vont de la simple pierre plate en saillie au mascaron reposant sur des cartouches très travaillés, en passant par des pierres biseautées, des consoles en tout genre, des médaillons ou des ornements rocaille.

Il est vrai que chacun de ces ornements a tendance, avec le temps, à devenir plus foisonnant, à monter à l'assaut des bandeaux de séparation d'étages, à se chantourner de plus en plus, à mêler joyeusement coquillages et feuillages, animaux et humains. Cela, cependant, sans se départir du strict respect de la mesure et du bon goût qui, bien sûr, nous caractérisent…

Persistance des frontons

Même si les colonnes et pilastres d'antan ont complètement disparu, on rencontre parfois d'autres ornements, surtout localisés dans l'avancée centrale. C'est notamment le cas des frontons, qui ne sont pas une nouveauté, mais dont la fréquence et la variété est très symptomatique.

Presque toujours triangulaires, ils peuvent s'étaler sur une travée (c'est-à-dire sur une largeur de fenêtre) ou sur trois. Dans ce dernier cas, ils confèrent à la façade un aspect un peu plus solennel. Le décor qui l'agrémente peut aller de la totale nudité jusqu'à la scène mythologique avec force angelots (« putti »), végétaux, animaux ou coquillages, en passant par le simple œil-de-bœuf.

Des entresols décorés

Les fenêtres situées au-dessus des entrées et certains entresols d'hôtels donnant sur rue peuvent aussi donner lieu à des décors tout à fait particuliers et gracieux.

Le règne des toits brisés

Le toit à la Mansart est désormais de rigueur, avec son brisis couvert d'ardoise et son terrasson de tuiles. Il va de pair avec de discrètes lucarnes de charpente. Vous trouverez plus rarement ces lucarnes superposées avec crochets de chargement ou cette gracieuse et unique lucarne du pavillon du duc d'Orléans.

Triomphe du fer forgé sur les balcons et...

Fréquents, surtout sur jardin, ils deviennent tout à fait imposants et splendides. Ils reposent sur des consoles souvent très longues et décorées et il n'est pas rare que le mascaron qui surmonte l'ouverture du dessous contribue, au moins symboliquement, à le soutenir. Très souvent incurvés, ils sont ourlés d'une belle rambarde en ferronnerie dont le dessin est une merveille de grâce et de liberté.

Les appuis des fenêtres ont ces mêmes qualités qui ont fait dire que cette époque était le véritable âge d'or de la ferronnerie.

... dans les escaliers

Avoir un bel escalier aide à gravir un échelon supplémentaire sur l'échelle de la distinction sociale. Il n'en manque donc pas de magnifiques dans le Marais (où ils ont parfois été rapportés dans des constructions plus anciennes) et dans le faubourg Saint-Germain. Certains sont tout en courbes légères et aériennes, tandis que d'autres se prennent nettement plus au sérieux : départs de rampes très spectaculaires, ferrures dorées et tôles ouvragées accompagnent en grande pompe le visiteur jusqu'au premier étage !

Variété des porches

Le porche constitue un petit morceau d'architecture et de sculpture tout à fait à part, auquel on prête d'autant plus d'attention que c'est la première image qui s'offre au visiteur comme au simple passant. Cela explique peut-être qu'il ait donné lieu à beaucoup de créativité et qu'on a bien du mal à découvrir des règles intangibles.

On peut au moins dire que l'on ne trouve jamais de linteaux droits : l'ouverture est toujours en plein cintre, en anse de panier ou simplement cintrée.

De même, et c'est souvent plus discriminant, vous ne verrez ni pilastres, ni colonnes, ni colonnes engagées. Voilà au moins ce que vous ne trouverez pas !

En revanche, des chaînes de refends, c'est-à-dire des pierres superposées séparées par des joints très creux, l'encadrent souvent. Vous trouvez aussi une fois sur deux de longues consoles, caractéristiques de la première moitié du XVIIIe siècle, qui soutiennent de part et d'autre une corniche droite ou incurvée. De la même manière, le haut de l'ouverture est couronné soit par un médaillon, soit par un mascaron. L'ensemble est plus ou moins orné.

Les portails :
de l'austérité à
la magnificence

De même que pour les porches,
on a quelques difficultés à trouver
des règles inviolables : vous pourrez
tout aussi bien trouver des portails
très austères que rencontrer des merveilles d'ébénisterie et de sculpture
sur bois telles qu'on n'en trouve à
aucune autre époque.

Lyres
et marteaux

Et puis, avant de vous éloigner, jetez un coup d'œil sur le marteau et sa lyre, cette pièce de ferronnerie ajourée qui l'orne. Chacun d'eux a sa personnalité et il y a là de petites merveilles à portée des yeux et de la main.

Un cas particulier : le musée Rodin

Achevé en 1732, c'est-à-dire à un moment où le style était déjà parfaitement constitué, le bel hôtel Biron surprend à plus d'un titre.

D'abord, vous pouvez en faire le tour sans difficulté car, contrairement à l'hôtel traditionnel, il n'a pas deux façades, mais quatre. Installé sur un très grand terrain à l'extrémité du faubourg Saint-Germain, il ressemble donc plutôt à un petit château avec sa cour et son parc. Il a même deux pavillons latéraux en avancée sur le jardin avec leurs toits particuliers à quatre pentes, ce qui rappelle nettement le style Louis XIII.

L'architecte a d'ailleurs profité de la lumière qui lui arrive par les façades latérales pour y prévoir trois pièces de chaque côté. Aussi, plutôt que d'avoir un mur de refends (porteur intérieur) dans la grande longueur, en a-t-il prévu quatre dans la largeur. Il s'est ainsi laissé toute latitude pour avoir des pièces de dimensions très variées.

Enfin, même si les façades sont décorées de manière somptueuse dans la manière du temps, les fenêtres à linteaux droits, le grand balcon, droit lui aussi, et les toits assez élevés contribuent largement à lui donner cette fois-ci un petit air Louis XIV.

Dernier élément inhabituel dans le faubourg, vous pouvez vous promener dans son très grand et beau jardin autant que vous le voulez, y prendre un bain de soleil et même vous y restaurer. Si vous y ajoutez la visite de son admirable musée, voilà bien des plaisirs à la fois !

Une nouvelle manière de vivre

L'architecture reflète la manière de vivre de chaque époque. Le XVIIe siècle avait déjà vu la fin de ces immenses pièces, qui, en se commandant les unes les autres, sans fonction définie, étaient traversées à toute heure du jour par les familiers et les serviteurs. Au XVIIIe siècle, la tendance s'accentue : les pièces se multiplient et sont de plus en plus dévolues à une activité précise et, parfois, nouvelle. L'apparat ne disparaît pas, mais la commodité, le confort, l'intime gagnent doucement du terrain.

Vous passez ainsi de l'antichambre au cabinet, qui peut servir aux réunions intimes, à la lecture, aux négociations. Du cabinet, vous arrivez à la chambre, qu'il s'agisse d'une chambre de parade, à estrade, en alcôve, à coucher même… Vous pouvez ensuite accéder au réchauffoir, au boudoir, aux cabinets de toilette (à vrai dire surtout pour Madame, ceux de Monsieur restant plus rudimentaires).

Il y a donc une plus grande quantité de pièces, souvent plus petites, mieux éclairées, plus faciles à chauffer (on découvre les poêles en faïence). On essaye de situer les chambres et les salons sur jardin, pour réserver la cour aux antichambres, aux escaliers, aux cabinets… Simultanément, les couloirs, qui permettent aux domestiques de circuler sans déranger les maîtres (contraignant ainsi le personnel à observer par les trous de serrure), accentuent la séparation amorcée sous Louis XIV.

Dans toutes ces pièces, les boiseries rocaille triomphent. Ce type d'ornement librement inspiré des roches, des lichens et des coquillages est ici beaucoup plus présent que sur les façades. Mesure et grâce en façade, éclat et fantaisie à l'intérieur.

Le style Louis XVI
(1760 -1790)

C'en est fini de la gracieuse époque de la rocaille et de l'arabesque. La haute société ne s'embarque plus pour Cythère. Elle fait route vers Pompéi, Rome, ou vers les villas palladiennes de Vénétie. Comme sous Louis XIV, l'architecture des hôtels puise désormais son inspiration dans l'Antiquité grecque, romaine ou italienne. C'est dire que les fenêtres élégamment cintrées disparaissent avec leurs mascarons, que les volutes des ferronneries s'assagissent, tandis que les toits s'abaissent progressivement pour se rapprocher de la terrasse méditerranéenne.

Simultanément, colonnes et pilastres reviennent au goût du jour, tandis que l'ornementation change de nature. C'est maintenant l'époque des frises, des longues lignes de refends qui strient la façade et des bas-reliefs antiquisants qui rappellent les vases grecs. D'ailleurs, la vogue du nouveau style est telle que tout est « à la grecque » : les meubles, les vêtements, les coiffures, les bijoux, les petites cuillers…

L'irruption est si soudaine que l'on doit bien constater que la plupart des monuments qui relèvent du style Louis XVI ont été construits, dans leur totalité ou en partie, sous Louis XV. C'est le cas de la Concorde, de l'École militaire, de l'Odéon, de la Faculté de droit, du Panthéon, de l'hôtel de la Monnaie…

Ainsi la très inexacte correspondance entre les règnes et les styles octroie-t-elle à Louis XVI des paternités tout à fait usurpées. D'autant que ce dernier a préféré en réalité se consacrer à des tâches utilitaires nettement moins spectaculaires : débarrasser les ponts des maisons qui les encombrent, numéroter les rues, créer les premiers trottoirs dans le quartier de l'Odéon, expulser de Paris les cimetières insalubres, aménager les quais de Seine, faire ériger par Ledoux des barrières de péage aux entrées de Paris…

À vrai dire, la fièvre bâtisseuse pour les hôtels a été précédée d'un long entracte de calme plat entre 1756 et 1763, durant cette guerre de Sept Ans entre la France et l'Angleterre qui s'achève de manière calamiteuse pour nous, le traité de Paris consacrant la régression de notre influence et l'hégémonie britannique en Europe.

La construction, qui ne reprend vraiment qu'en 1765, confirme alors la prééminence du faubourg Saint-Germain, surtout parmi les membres de la noblesse de cour. La finance élit plutôt domicile du côté de la chaussée d'Antin ou du Palais-Royal et la noblesse de robe demeure dans un Marais dont la décadence s'accentue, les constructions nouvelles y étant bien rares. On y « refaçade » en effet beaucoup, on scinde des hôtels en appartements, on densifie les installations existantes par « bourrage » des cours et jardins ou par surélévation.

Le faubourg Saint-Germain, à mesure qu'il se couvre d'hôtels splendides, se transforme ainsi en un ghetto de luxe réservé à l'aristocratie, à l'inverse du Marais, qui mêlait allégrement toutes les classes sociales. Le fossé se creuse. Il devient même béant après une période de dérèglement climatique qui entraîne une succession de mauvaises récoltes, lesquelles renchérissent le prix du pain. C'est « le boulanger, la boulangère et le petit mitron » que l'on ira chercher à Versailles...

De bons auteurs ont parfois souligné la convergence entre le style Louis XIV et le style Louis XVI. Les éléments stylistiques sont en effet très proches. Et pourtant, au contraire des bâtiments publics parfois très solennels et un peu lourds, l'hôtel Louis XVI a une concision, une élégance et une légèreté auxquelles les hôtels Louis XIV ne prétendaient pas. L'époque laisse une architecture apaisée, privilégiant le calme, l'harmonie et la sérénité des grandes lignes horizontales.

Disparition des fenêtres cintrées

La fenêtre cintrée disparaît totalement dès 1763. Les fenêtres en plein cintre, en revanche, restent courantes, comme elles l'ont été de manière continue depuis le début du siècle. Il n'y a d'ailleurs pas une forme de fenêtre et une seule : vous en trouverez de toutes sortes, depuis la plus nue dans les hôtels les plus modestes jusqu'à la plus ouvragée. On peut en faire un inventaire rapide.

Certaines fenêtres surmontées de bas-reliefs mythologiques ou d'autres ornements décoratifs apparaissent comme spécifiques de l'époque : elles constituent à elles seules une signature du style Louis XVI.

Notons que ce type de décor, parfois complété par des balustres, concerne surtout le bel étage.

D'autres sont surmontées de frontons triangulaires ou circulaires qui ne sont pas nouveaux et qui ont encore quelques beaux jours devant eux jusqu'en 1914.

D'autres enfin sont surmontées de corniches, soutenues ou non par des consoles. La multiplication de ces consoles, qui peuvent tout aussi bien être utilisées pour soutenir les appuis des fenêtres, est aussi l'une des marques caractéristiques du style lui-même.

Cependant, toutes ces fenêtres ont au moins une caractéristique commune, alors très nouvelle, qui apporte un changement important dans l'aspect de l'hôtel : l'abandon des petits carreaux d'autrefois. On a en effet appris à produire du verre en grandes dimensions, ce qui permet d'avoir des carreaux occupant toute la largeur du battant. Simplicité et gain de lumière expliquent le succès immédiat de cette innovation.

Les toits s'abaissent

La civilisation méditerranéenne privilégie le toit-terrasse, mieux adapté au climat et aux maigres ressources en bois. Les grands toits pentus du Moyen Âge et les toits à la Mansart qui les ont suivis sont donc remis en question par la vague antiquisante qui déferle. Ils ne s'abaissent cependant que progressivement, comme à regret et non sans raison car les vraies terrasses posent régulièrement, sous nos cieux humides, des problèmes d'étanchéité.

Si l'architecte a finalement opté pour un toit à faible pente, il a souvent le souci de le dérober au regard en le plaçant un peu en retrait par rapport à la façade et en disposant devant une rangée de balustres pour mieux le dissimuler. Cette balustrade n'est pas continue : elle surmonte juste chaque travée (alignement des fenêtres en hauteur) et s'interrompt ailleurs. Elle précède souvent de menues lucarnes de charpente.

Remarquons que la construction peut être coiffée d'un petit étage supplémentaire, appelé attique, muni d'ouvertures basses parfois proches du carré. Il est souvent situé au-dessus de la corniche, légèrement en retrait par rapport à la façade.

Colonnes
et pilastres, le retour
Grands frontons,
le départ

Les colonnes et les pilastres, on s'en souvient, avaient totalement disparu lors de la période précédente. Les voilà qui reviennent en force : vous les trouvez maintenant dans deux hôtels sur trois. Les pilastres, ces sortes de colonnes aplaties plus décoratives que fonctionnelles, sont à vrai dire relativement rares. Ce sont les colonnes qui prolifèrent vraiment. Par deux lorsqu'elles soutiennent un balcon, vous en comptez quatre ou six dans les autres cas.

Elles s'élèvent sur un étage ou sur deux (dans ce dernier cas, on les dit « colossales »). Souvent gracieuses et élancées, elles soutiennent des corniches plus ou moins saillantes, mais jamais de grands frontons. Curieusement, alors que cet ornement typique de l'Antiquité était encore fréquent sous Louis XV, où sa présence est pourtant singulière, il disparaît totalement ici, où on l'attendait.

Bas-reliefs et sculptures

Les sculptures qui saillent de la façade disparaissent et laissent place à de légers bas-reliefs ou à des sculptures en retrait représentant soit des scènes mythologiques qui prennent place au-dessus des fenêtres, soit des motifs végétaux plus bucoliques : guirlandes de feuillages, cornes d'abondance, carquois, nœuds de ruban…

Des frises inspirées de l'Antiquité

Elles deviennent fréquentes et courent souvent entre deux étages. Ce sont généralement des grecques ou des « bandes de vagues ».

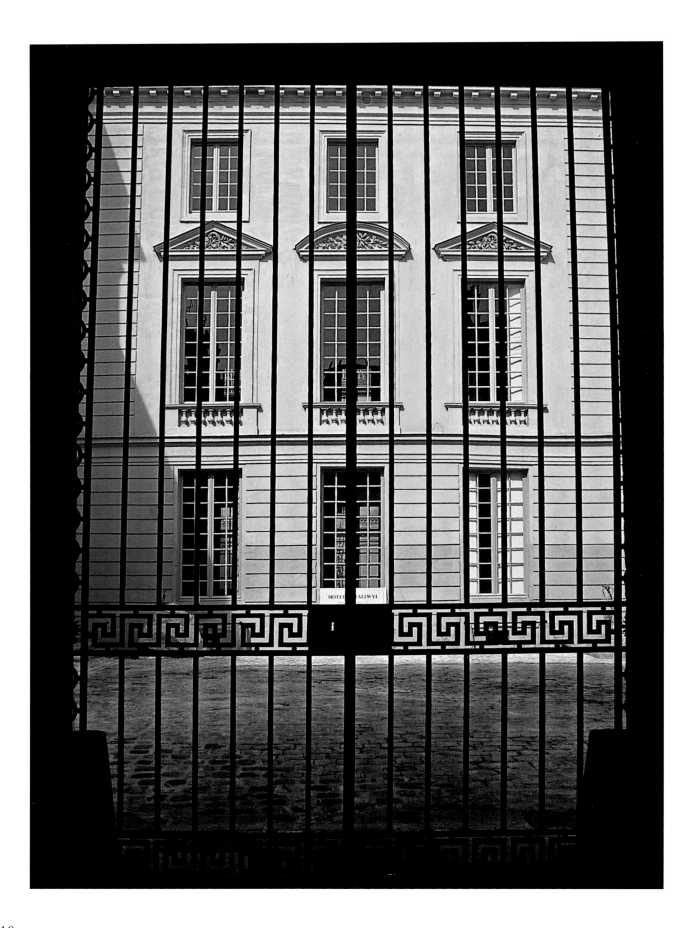

Les refends mettent la façade en relief

De longues lignes de refend peuvent strier la façade, surtout si la pierre de taille est enduite de plâtre, ce qui devient beaucoup plus fréquent qu'autrefois. Qu'elles soient légères ou plus profondes elles accrochent joliment la lumière sur des parois parfois très lisses. Plus souvent cantonnées aux étages inférieurs, il peut cependant leur arriver d'envahir toute la façade. Dans ce cas, celles des étages inférieurs sont plus marquées que les autres.

Ferronneries, la sagesse

Le fer forgé n'est pas un point fort du style Louis XVI. Il apparaît du reste assez peu sur les façades : les balcons ne sont pas très présents et les appuis des fenêtres y sont fréquemment constitués de balustres en pierre. De toute manière, les ferronneries souples et déliées d'antan ne sont plus de mise. Les motifs deviennent beaucoup plus simples, plus symétriques et répétitifs, au point qu'ils se rapprochent parfois des ferronneries Louis XIV.

Des porches triomphants

Sauf Journées du patrimoine, vous aurez souvent du mal à les franchir. Aussi aurez-vous tout loisir de les admirer… Ils en valent la peine, d'ailleurs. Les plus beaux ressemblent à un petit arc de triomphe dont l'entablement est soutenu par de sobres colonnes doriques ou ioniques. Tout en restant élégants, ils sont ainsi un peu plus solennels que le reste de la construction. Vantaux et marteaux du portail sont en général assez dépouillés. Barrières métalliques et caméras vidéo sont des ornements prisés.

Nouvelle progression de l'intimité

Le mouvement déjà amorcé ne se dément pas, favorisé par des plans de plus en plus libres. Surtout sur jardin, il n'est pas rare d'avoir des avancées en rotonde. Les pièces elles-mêmes font la part belle à de nouvelles formes : elles peuvent être rondes, ovales, en hémicycle, octogonales… D'une manière générale, les coins en sont arrondis et l'architecte profite des angles morts ainsi créés pour y placer placards, dessertes ou débarras.

Le souci de l'éclairage se fait plus grand. Il arrive même que certaines pièces, grâce aux nouvelles techniques de production du verre en grandes dimensions, soient éclairées de manière zénithale par des coupoles.

Ainsi, sans sacrifier la fonction de représentation qui reste essentielle pour la noblesse de cour, le confort, la famille et le souci de soi continuent-ils à prendre une place de plus en plus grande.

Une comparaison Louis XIV-Louis XVI

On a parfois dit que le style Louis XVI n'était que la copie, un siècle plus tard, du style Louis XIV. Il vaut la peine d'y aller voir. Pour cela, on a essayé de trouver deux hôtels de structures assez comparables. Le premier est situé sur la place des Victoires. Il est à gauche de la photo (à droite, bel hôtel Louis XIII. Toits élevés). Le second se trouve dans le faubourg Poissonnière, dans un quartier où vous trouverez (souvent dissimulés au fond des cours) de nombreux hôtels Louis XVI.

La parenté est évidente : ouvertures en plein cintre au rez-de-chaussée, bel étage puis étage supérieur dotés d'ouvertures rectangulaires, mêmes références à l'Antiquité avec des pilastres dans un cas et des colonnes composites (mélange ionique et corinthien) dans l'autre.

On voit aussi que les différences abondent. L'hôtel Louis XIV est solidement ancré au sol, par

de solides arcades ornées de mascarons. Des lignes de refend strient tout son rez-de-chaussée et calent ses angles. Des entablements et des consoles sculptent toute la façade. Les toits à la Mansart ornés de belles lucarnes en pierre ajoutent une note pittoresque. L'ensemble est imposant.

L'hôtel Louis XVI semble beaucoup plus nu en dépit des longues colonnes très élancées qui soutiennent l'entablement de l'avancée. Les ouvertures du

rez-de-chaussée sont plus légères et les fenêtres moins décorées. Le toit est discret et les lucarnes légères. Le crépi au plâtre accentue l'impression de grâce.

En puisant dans des répertoires architecturaux proches, les deux styles diffèrent donc notablement dans leur esprit. À la dignité assez imposante de l'un s'oppose la séduisante légèreté de l'autre. Plus de vigueur d'un côté, plus de charme de l'autre.

Révolution - Directoire - Empire
(1789-1815)

Ce n'est pas la construction des hôtels particuliers qui est à l'ordre du jour en cette fin du XVIIIe siècle : dans la tourmente révolutionnaire, cinq régimes différents se succèdent en cinq ans et cinq coups d'État ponctuent le Directoire. Pendant ce temps-là, on abolit les privilèges, la Constitution civile du clergé est proclamée, le roi s'enfuit avant d'être suspendu et, finalement, exécuté, les émeutes se succèdent, la Terreur règne et les coalitions déferlent pour envahir une France qui résiste tant bien que mal dans un État totalement ruiné.

On conçoit donc que les citoyens qui auraient pu conserver quelque pécule aient eu d'autres soucis que d'investir dans l'immobilier : la construction des immeubles, sans être inexistante, est donc faible ; celle des hôtels particuliers est quasi nulle.

Avec l'Empire, l'ordre, et même l'ordre musclé, revient. On pourrait donc s'attendre à ce que le bâtiment reprenne. C'est ce qu'il fait pour les immeubles, de manière assez modérée, toutefois. En revanche, découragée par les guerres napoléoniennes qui vident les caisses et opèrent des coupes sombres dans les jeunes générations, la construction des hôtels particuliers reste presque au point mort. Si bien que les témoignages qui en demeurent à Paris sont à la fois trop rares et trop modestes pour définir le moindre style.

Voici donc pour nous un quart de siècle de vacances…

La Restauration
(1815-1830)

On ne peut dire que le retour des Bourbons ait beaucoup stimulé la création des hôtels particuliers à Paris. Et pourtant, la période est particulièrement féconde pour les grands lotissements d'immeubles qui, favorisés par l'essor de la banque, investissent les quartiers Poissonnière, Saint-Lazare-Europe, François Ier, Passy, Grenelle… D'autres quartiers se développent aussi sans plan préétabli, comme la Bastille ou les Batignolles.

Mais l'état des finances du pays est bien calamiteux, l'impulsion donnée à la construction bien faible et l'indifférence du pouvoir à son égard tout à fait royale (à part la chapelle « expiatoire » en l'honneur de Louis XVI…). Si l'on ajoute des luttes très vives entre libéraux et ultras qui donnent à chacun le sentiment de vivre une période troublée et tumultueuse, on comprendra que les velléités de construction de prestige s'en soient trouvées bien engourdies.

Vous découvrirez cependant deux ou trois hôtels significatifs dans le faubourg Saint-Germain, et, surtout, un intéressant lotissement de prestige situé près de l'église de la Trinité (plus tardive) : la nouvelle Athènes. Là, dans des hôtels astreints à conserver une importante surface non bâtie, se retrouvent des personnalités alors célèbres du monde des arts et du spectacle, comme mademoiselle Mars et la Duchesnois (actrices), Telma (acteur), Horace Vernet et Paul Delaroche (peintres)… Au total, ces hôtels sont donc assez nombreux et homogènes pour qu'on puisse en brosser les grands traits.

L'hôtel Restauration s'inspire encore de l'Antiquité, mais c'est une Antiquité douce et aimable. Toute la bâtisse est recouverte de plâtre qui en adoucit les formes. Si l'on rencontre encore les discrets pilastres, les colonnes se font plus rares et ne montent plus d'un seul jet sur deux étages, disposition un peu solennelle. L'esprit de l'ensemble reste assez proche du style Louis XVI, brutalement interrompu un quart de siècle plus tôt, avec quelques éléments décoratifs très spécifiques. La taille de l'hôtel est cependant plus modeste, en étroit rapport avec les ressources d'une société dont les fortunes ne sont pas encore reconstituées.

Au rez-de-chaussée, vous trouvez très souvent des « bossages », éléments en saillie plus ou moins accentuée par rapport au mur, sur toute la façade. Les fenêtres en plein cintre n'y sont pas rares. Quant à l'ornementation, elle demeure discrète : vous apercevez quelques frises qui courent en limite d'étage, de fréquents motifs circulaires, entre fleurs et rosaces, tandis que de fins balustres s'étalent devant les plus belles fenêtres.

La montée
de la vie privée

Pour l'essentiel, les références à l'Antiquité n'empêchent pas l'hôtel de s'embourgeoiser de manière gracieuse et distinguée. Vous ne serez d'ailleurs pas étonné d'apprendre que, si le rez-de-chaussée fait la part belle aux enfilades de pièces et de vestibules destinés aux réceptions en tout genre, des plus intimes aux plus prestigieuses, les étages supérieurs sont plutôt réservés à la famille. Les pièces y sont plus petites, plus basses de plafond, plus faciles à chauffer et mieux agencées pour vivre confortablement. Cela dit, l'évolution ne se fait jamais qu'à petits pas : les chambres de Monsieur et de Madame demeurent séparées, même si elles sont désormais au même étage. Vous ne trouvez pas encore trace de pièces spécifiquement dévolues aux enfants.

D'autres sont surmontées de frontons triangulaires ou circulaires qui ne sont pas nouveaux et qui ont encore quelques beaux jours devant eux jusqu'en 1914.

D'autres enfin sont surmontées de corniches, soutenues ou non par des consoles. La multiplication de ces consoles, qui peuvent tout aussi bien être utilisées pour soutenir les appuis des fenêtres, est aussi l'une des marques caractéristiques du style lui-même.

Cependant, toutes ces fenêtres ont au moins une caractéristique commune, alors très nouvelle, qui apporte un changement important dans l'aspect de l'hôtel : l'abandon des petits carreaux d'autrefois. On a en effet appris à produire du verre en grandes dimensions, ce qui permet d'avoir des carreaux occupant toute la largeur du battant. Simplicité et gain de lumière expliquent le succès immédiat de cette innovation.

D'aimables façades de plâtre

La pierre de taille, et même les parements en pierre, sont rares : l'heure n'est ni au luxe ni à l'ostentation. Comme dans les immeubles – on a parlé de ville de plâtre –, les hôtels particuliers sont enduits de ce plâtre qui provient des nombreuses carrières de gypse du sous-sol parisien. Ce revêtement, parfois mêlé de teintes pastel pourtant très rares dans la capitale, donne à l'immeuble sa bonhomie et à l'hôtel sa douceur. On le voit bien en comparant les très rares hôtels qui dérogent à la règle.

Des bossages caractéristiques

Plus ou moins en saillie, imitant la pierre, ils accrochent la lumière sur tout le rez-de-chaussée et, parfois, au-dessus. Ils suivent cependant une tradition très constante, héritée de la Renaissance, qui veut que les ornements se fassent plus discrets et les reliefs moins accusés au fur et à mesure qu'on gravit les étages. Ainsi solidement ancrée au sol, la construction s'allège à mesure qu'elle s'élève.

Ouvertures en plein cintre...

Les ouvertures arrondies sont fréquentes. Ce sont soit de simples fenêtres, soit des portes-fenêtres, soit des porches d'accès. Elles contribuent encore à adoucir l'aspect général.

… et fenêtres droites

Elles sont souvent surmontées d'une espèce de corniche qui leur confère un peu de solennité. Cette corniche est parfois soutenue par deux fines consoles. Que la fenêtre soit droite ou arrondie, elle est souvent précédée d'une rangée de balustres aux formes très diverses.

Vous verrez courir des frises sur la façade, entre deux étages ou à la limite de la corniche. Elles déclinent surtout trois motifs : des grecques de différentes formes, diverses vagues et des feuillages.

De la même manière, un autre élément de décoration revient avec insistance : des sortes de cabochons en forme de rosaces ou de fleurs éparpillés çà et là sur la façade, souvent de part et d'autre de l'arrondi des fenêtres en plein cintre.

Colonnes et pilastres

Ils ne font nullement partie du répertoire de rigueur, mais on les rencontre assez souvent pour qu'on les remarque. Dans l'ensemble, leurs proportions comme leur dessin font plus cas de la grâce que de la majesté. On est plus proche de l'aimable villa palladienne de Vénétie que du temple grec.

125

La grille
entre en scène

Désormais, vous pouvez fort bien être accueilli par des faisceaux de lance sur la grille ou sur la porte. Ce qui nous fait d'ailleurs remarquer que les lourds portails de bois, qui isolent la cour et l'hôtel de la rue, sont bel et bien en train de disparaître : l'hôtel est moins somptueux qu'autrefois, mais il n'a plus peur de se montrer. Ce n'est pas nous, passants curieux, qui nous en plaindrons !

Un petit monde
de statues

Les communs de cet hôtel Louis XVI du faubourg Poissonnière ont été surélevés au début de la Restauration par un acquéreur sans doute soucieux de rentabiliser son achat. Même s'il superpose le plâtre et la pierre de taille, la nouvelle construction ne manque ni d'idées, ni de panache, avec ses multiples niches, circulaires pour les grands hommes en buste, en plein cintre pour les personnages en pied.

C'est aussi un bel exemple de la vogue des statues moulées de la Restauration.

En réalité, on connaît plus d'exemples de cette aimable mode sur les façades d'immeubles de l'époque, beaucoup plus nombreux, il est vrai.

Choc des cultures

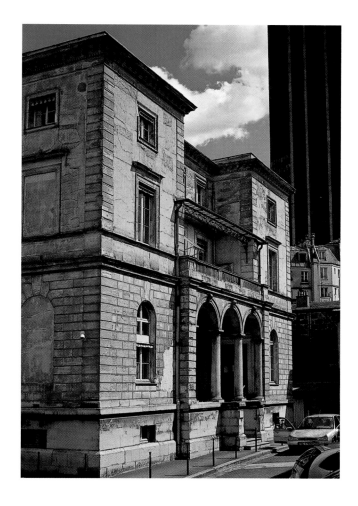

Beaucoup d'hôtels Restauration trop peu entretenus, desservis par des enduits de plâtre vétustes et confinés dans des cours plus ou moins sombres, ont fait l'objet de la convoitise des promoteurs et ont fini, dans l'indifférence générale, sous la pioche des démolisseurs. Peu connu, ce remarquable hôtel aux gracieuses arcades, écrasé par un encombrant voisin, a pour l'instant réchappé au sort commun. Sa date de construction n'est pas, semble-t-il, connue.

Le style Louis-Philippe
(1830-1850)

près un début de règne très troublé pendant lequel les émeutes se multiplient, un certain calme revient sous la houlette assez énergique de Guizot et sous celle, assez mollassonne, de Louis-Philippe. C'est pendant cette période que se produit une étonnante flambée de créativité dans le monde des arts et des idées. Le Romantisme submerge la peinture et la musique, tandis que Balzac, Stendhal et Mérimée signent leurs œuvres majeures. Les penseurs ne sont pas en reste, avec une vraie pléiade de grands esprits comme Tocqueville, Auguste Comte, Saint-Simon, Fourier, Proudhon...

Pourtant, les grands travaux officiels restent discrets : à part l'obélisque, l'École des beaux-arts et la bibliothèque Sainte-Geneviève, les titres de gloire du règne se limitent à de spectaculaires restaurations, comme Notre-Dame et Vézelay. Quant à l'architecture privée, vous retrouvez une situation assez semblable à celle de la période précédente : dynamisme de la construction populaire ou petite-bourgeoise – c'est la grande époque de l'immeuble locatif – et anémie de la construction de prestige.

Avec la meilleure volonté du monde, vous ne découvrirez donc guère plus d'une quinzaine d'hôtels particuliers Louis-Philippe. Comme précédemment, ils sont répartis, pour quelques-uns, dans le faubourg Saint-Germain, et, pour les autres, dans les faubourgs de la rive droite (dans le 9e arrondissement, surtout). Leur nombre restreint et la brièveté de la période ne les empêchent cependant pas d'être originaux et assez facilement identifiables.

Pour faire court, disons que l'hôtel Louis-Philippe ressemble à un hôtel Restauration abandonné entre les mains des sculpteurs. Que ceux-ci restent discrets et cela peut nous valoir de belles constructions plutôt classiques, assez proches du style Restauration, avec, cependant, quelques détails très ouvragés qui sont la marque de la monarchie de Juillet. Qu'au contraire ils se déchaînent, puisant leur surabondante inspiration dans une Antiquité et un Moyen Âge d'opérette, et vous pourrez trouver des constructions dont la surcharge confine à la frénésie.

Le premier hôtel de la période, au 14 de la rue Vaneau, est, comme sous la Restauration, revêtu de plâtre (les techniques du staff sont bien maîtrisées). Ce n'est pas le dernier à être ainsi crépi. Cependant, le plâtre se raréfie progressivement au cours de la période et, à partir de 1840, tous les hôtels adoptent la pierre de taille, qui interdit les moulages et contraint les sculpteurs à faire œuvre originale pour chaque façade.

Une autre évolution touche les garde-corps placés devant les fenêtres. Désormais, on sait en effet mouler la fonte. Les balustres de pierre ne disparaissent pas, mais les garde-corps en fonte, beaucoup plus empâtés que le fer forgé, deviennent très présents sur les façades. En revanche, les persiennes en bois que vous avez pu voir sur certains hôtels Restauration sont maintenant remplacées par des volets pliants qui se dissimulent aisément dans l'embrasure de la fenêtre.

Du décor discret
à la surabondance

Cet hôtel de la rue de Tournon nous apparaît très classique : frontons triangulaires soutenus par de sobres consoles, belle ordonnance symétrique, fins balustres devant les fenêtres du premier étage... Cependant, l'ornementation propre à la monarchie de Juillet commence à montrer plus que le bout du nez. Les appuis des fenêtres, des balcons supérieurs et du long balcon filant sont en fonte, d'un dessin appuyé, un peu empâté. Les bandeaux de séparation d'étages sont très travaillés. Et, surtout, la fenêtre centrale du bel étage, surmontée d'un motif plus ou moins végétal et encadrée de quatre angelots, nous rappelle que la Restauration est achevée. D'autant que les persiennes s'escamotent dans les embrasures.

On remarque que l'inspiration angélique vient tout droit de l'hôtel Amelot de Bisseuil, de style Louis XIV (voir p. 55), inaugurant ainsi une longue période de pastiche qui va durer près d'un siècle, jusqu'à la guerre de 1914. Ce qui est nouveau, en l'occurrence, n'est pas que l'on s'inspire de l'Antiquité ou de la Renaissance italienne. C'est que l'on y ajoute désormais les styles français passés, avec, pour l'instant, une préférence marquée pour le Moyen Âge.

Cet autre hôtel de la rue Joubert, dans le 9e arrondissement, présente encore une façade sobrement dessinée, avec ses balustrades, ses fenêtres surmontées de corniches et de consoles, ses bandeaux assez sobres. En revanche, les fenêtres centrales, avec leurs colonnes et leurs pilastres ioniques, leurs tympans et leurs linteaux très ouvragés, leurs anges – sans doute néoromans et nettement plus sexués que précédemment –, les mascarons et les rosaces, marquent un degré de plus dans l'escalade du décor.

Pour finir, jetons un coup d'œil sur cet hôtel de la place Saint-Georges, où l'on n'en finit plus de détailler les innombrables statues de divinités antiques, de nobles empereurs, d'enfants joufflus et d'animaux plus ou moins chimériques ; sans compter les décors végétaux, les urnes pompeuses, les médaillons et les motifs géométriques. On ressent vraiment chez l'artiste l'intention de nous éblouir par cette étonnante profusion. Notez aussi ces étranges colonnes torses de part et d'autre de la lucarne qui ne semblent avoir d'autres fonctions que décoratives.

La longue domination néoclassique, qui va de Louis XVI à la Restauration, sombre donc ici, submergée sous les sculptures, les enjolivures et les fioritures baroques.

Persiennes et volets : l'effacement

Durant la Restauration, on a vu fleurir les persiennes sur les immeubles et aussi, assez souvent, sur les hôtels. Fermées, elles laissent encore passer l'air, un peu de lumière et… les regards. Ouvertes et rabattues sur le mur, elles strient des façades très plates, accrochant joliment la lumière. Mais que faire quand la façade tout entière se met à ressembler à une folle broderie de pierre qu'il serait bien dommage de cacher ?

Souvent, on fait purement et simplement l'économie des persiennes, ce qui est peu satisfaisant, car les habitants se sentent peu protégés des intrusions. C'est le volet pliant qui apporte la solution. Il s'efface d'autant plus discrètement dans l'embrasure de la fenêtre qu'une partie évidée y est souvent prévue. Pour l'heure, il est en bois. Mais il aura tôt fait d'être en métal, qui a l'avantage d'être à la fois plus mince et plus résistant.

Des garde-corps remarquables

Les garde-corps sont désormais en fonte et la mode est aux motifs assez compliqués, lourds et empâtés. Ils deviennent ainsi nettement plus présents sur les façades. D'autant que les volets pliants viennent de les chasser de l'embrasure de la fenêtre et qu'ils sont souvent contraints de prendre appui sur la façade, débordant ainsi sur l'extérieur.

Les statues
sortent des abris

Pendant la Restauration, vous les avez vues s'abriter
des intempéries parisiennes dans les niches qui leur étaient
réservées. Certaines s'enhardissent aujourd'hui et envahissent les façades avec d'autant plus d'ardeur que la pierre
résiste bien mieux que les moulages aux rigueurs du climat. Anges, sirènes, cariatides, personnages antiques ou
médiévaux se disputent ainsi les honneurs de s'afficher
publiquement, tout en présentant, par la même occasion,
une image flatteuse du statut social de leur propriétaire.

Une profession de foi

Cet hôtel a été construit vers 1835 par l'architecte Pierre-Charles Dussillion pour son propre usage. Il y rappelle une sage maxime latine de Vitruve. « Une bonne construction réunit trois conditions : commodité, solidité et beauté. »

Le style haussmannien
(1850-1870)

Si la Restauration et la monarchie de Juillet ont été peu fécondes en matière de construction publique, Napoléon III et Haussmann vont avoir tôt fait de compenser les carences passées : Paris se transforme bientôt en un gigantesque chantier qui emploie plus de 8 000 entreprises du bâtiment.

Les buts poursuivis sont triples : transformer une ville sale, insalubre et encombrée en une capitale claire, moderne et bien équipée ; tracer de grandes artères rectilignes qui permettent de mieux réprimer les insurrections populaires, lesquelles, Louis XVI, Charles X et Louis-Philippe en sont témoins, peuvent avoir de fâcheux effets sur la pérennité des régimes ; éponger, enfin, le chômage : en 1860, plus de 60 000 personnes travailleront dans la construction parisienne. C'est d'ailleurs de cette époque que date l'inusable, car souvent vérifié, « quand le bâtiment va, tout va ».

Les travaux connaissent une ampleur jamais égalée. En plus des grands chantiers de palais – le Louvre, le Palais-Royal, le palais de Justice et le palais du Luxembourg –, des villes entières sortent de terre, quartier par quartier, avec leurs mairies, leurs écoles, leurs hôpitaux, leurs casernes, leurs places, leurs ponts, leurs égouts, leurs fontaines, leurs grands magasins, leurs espaces verts (parcs Monceau, Montsouris, des Buttes-Chaumont, bois de Boulogne et de Vincennes, multiples squares…). L'État intervient partout, y compris dans la construction privée des immeubles qui s'alignent, bien encadrés par des normes draconiennes, tout au long des nouvelles avenues.

Quant aux hôtels, on reste surpris de voir que, si leur nombre augmente, c'est sans commune mesure avec le mouvement général. Le second Empire est surtout une période de constitution de grandes fortunes du monde de l'industrie et de la finance. Tout se passe comme si leurs détenteurs, refroidis par l'évolution libérale du régime et par ses échecs diplomatiques ou militaires des années soixante, hésitaient à investir ces capitaux fraîchement acquis dans des résidences trop voyantes.

Vous remarquerez aussi que les quartiers de prédilection changent une fois de plus. Durant la Restauration et la monarchie de Juillet, c'est le nord de la capitale qui a été à l'honneur. Le secteur de construction des nouveaux hôtels glisse plus vers l'ouest, et ce sont les grandes et opulentes avenues du 8ᵉ arrondissement qui ont désormais les faveurs de cette grande bourgeoisie montante qui remplace progressivement la noblesse de l'Ancien Régime.

Le style des hôtels se ressent d'ailleurs souvent de ces hésitations : alors même que certains ne craignent pas d'étaler leur opulence, beaucoup conservent une discrétion et une retenue qui peuvent aller jusqu'à l'austérité. Certaines façades sont d'ailleurs à ce point discrètes qu'elles diffèrent assez peu de celles des immeubles les plus cossus. Quant à l'inspiration, elle vient des différents styles néoclassiques issus de l'Antiquité – Renaissance italienne, Louis XIV et Louis XVI –, mais aussi du style Louis XV.

Dans ces conditions, il peut paraître difficile de caractériser un style qui, sur les traces du style Louis-Philippe, ne se contente pas de puiser son inspiration dans le patrimoine antique ou italien mais prétend s'inspirer directement des styles français antérieurs.

De fait, l'obstacle est moins insurmontable qu'il y paraît. Les architectes du second Empire, même s'ils s'appliquent à respecter leurs sources, ne peuvent s'empêcher d'imprimer leur marque : la copie diffère par mille détails de l'original. Sa silhouette est plus massive, alourdie par plus d'ornements sculptés dans ces pierres de taille dont l'usage, machines à vapeur aidant, est devenu systématique. On y remarque aussi des appuis en fonte qui ne peuvent qu'être récents et, parfois, des ornements inconnus ou des mélanges anachroniques.

Enfin, la tendance amorcée sous la Restauration se confirme : les grilles, qui protègent de la rue mais non de la vue, se généralisent. La cour elle-même devient facilement courette et le vaste jardin se change parfois en jardinet. Perdant ses dégagements, il perd aussi ses annexes latérales, se métamorphosant en une fastueuse demeure individuelle. C'est d'ailleurs un élément de datation appréciable.

Des fenêtres Renaissance…

Elles sont le plus souvent surmontées de frontons circulaires ou triangulaires plus ou moins ouvragés selon qu'ils puisent leur inspiration dans la période romaine ou dans la période florentine.

…Baroques

Parti d'Italie, le mouvement baroque, qui a envahi l'Europe aux XVIᵉ et XVIIᵉ siècles, n'a laissé que peu de traces en France. C'est donc hors de nos frontières que les architectes du second Empire vont chercher leur inspiration.

…Louis XV

L'hôtel Louis XV est une création originale de l'architecture française. Il n'est pas classique, il n'est pas baroque et encore moins rococo. C'est un heureux mélange de souplesse et d'équilibre dont on retrouve ici des traces.

… mais aussi des emprunts hétéroclites

Tout n'est pas toujours aussi simple. C'est ainsi que vous trouverez des fenêtres néo-Renaissance ornées de balcons inconnus à l'époque, des fenêtres classiques ornées de décorations inédites, des fenêtres Louis XV surmontées de motifs Renaissance, une porte-fenêtre dont on est bien embarrassé de définir le style, une avancée avec ses colonnes, très Louis XVI, encadrée de fenêtres Louis XV, une lucarne Louis XV encadrée de statues et surmontées d'un fronton…

En général, rien d'extravagant. Seulement une certaine liberté pour puiser des éléments dans chaque

style et pour les combiner au gré de l'inspiration du moment. Notez en passant que, quelle que soit l'époque de référence, les petits carreaux des fenêtres sont abandonnés alors qu'ils n'ont été remplacés, dans les styles originels, que sous Louis XVI.

Colonnes et pilastres

Les colonnes, trop solennelles, ont quasi disparu des façades. En revanche, les pilastres, qui peuvent rythmer agréablement de grandes façades, sont employés çà et là. Ils peuvent s'élever sur un seul étage, sur deux étages d'un seul jet ou en deux pilastres superposés.

Deux ensembles intéressants : L'Étoile et Massillon

Les douze hôtels de l'Étoile, dit des Maréchaux, ont été construits, généralement après 1867, sur des plans établis par Hittorff en 1853. Les façades situées sur la place et sur les avenues sont uniformes, tandis que les entrées, repoussées dans les deux rues semi-circulaires arrière, sont laissées à l'initiative de chacun. On ne peut manquer d'être frappé par la noblesse et l'élégance d'une architecture aux proportions parfaites qui constitue un écrin à la fois modeste et splendide pour l'Arc de triomphe de l'Étoile. L'inspiration vient surtout de la Renaissance par Louis XVI interposé (frontons et consoles, balustrades, guirlandes de feuillages…). La densité de la modénature nous évite cependant toute confusion.

L'école Massillon est en réalité l'hôtel Fieubet, construit en 1679. S'il apparaît ici, c'est que la façade donnant sur le quai des Célestins a été refaite par Gros, en 1858, dans un style très chargé inspiré de la fin du XVIe siècle. Même si beaucoup de spécialistes crient au crime de lèse-majesté, on ne peut dénier à cette étonnante accumulation baroque un élan et une créativité que n'offre guère l'authentique façade du XVIIe siècle sur jardin. Noter aussi la bonne facture des statues. Un petit nettoyage ne serait cependant pas superflu.

L'Eclectisme
(1870-1914)

Depuis la Révolution, la construction des hôtels particuliers s'est déroulée à pas comptés, alors que celle des immeubles connaissait, au moins depuis la Restauration, un essor très spectaculaire. Passé le traumatisme de la sévère défaite de 1870 et de la révolte de la Commune qui a embrasé Paris, les hôtels recommencent à surgir de terre dès 1875 à un rythme très soutenu et durant assez longtemps. Le summum de l'effervescence se situera dans les années 1890, qui correspondent d'ailleurs à une période de stabilité politique et d'essor économique.

Plus que jamais, le faubourg Saint-Germain est maintenant réservé à une aristocratie qui, ayant perdu beaucoup de ses privilèges et, assez souvent, beaucoup de ses ressources, ne construit plus guère.

La nouvelle bourgeoisie, enrichie par l'essor de l'industrie, de la finance et par la spéculation immobilière, part à la conquête des terres villageoises, maraîchères ou agricoles de l'Ouest parisien, à Auteuil ou Passy, dans les quartiers du Trocadéro, de l'Étoile ou de la plaine Monceau. À l'inverse, les classes les plus populaires sont repoussées dans des quartiers déclassés – pauvre Marais – ou excentrés. Quant à la bourgeoisie, petite ou moyenne, elle s'installe dans les confortables immeubles construits le long des grandes artères tracées depuis Haussmann.

L'évolution vers une diminution des emprises se poursuit. L'hôtel traditionnel entre cour et jardin a vécu : il perd souvent ses communs, sa cour ou son jardin pour ressembler, dans les cas limites, à un honnête parallélépipède donnant directement sur rue ou sur un petit jardin à l'anglaise qui l'en sépare à peine.

L'Eclectisme, qui consiste à chercher l'inspiration dans des styles différents, ne fait que croître et embellir. Les architectes montrent cependant de plus en plus d'imagination. Les formes ont tendance à se libérer, à devenir plus opulentes, plus débridées, presque baroques, parfois. La grande bourgeoisie, retranchée dans les beaux quartiers, étale maintenant sa richesse comme jamais on n'avait osé le faire. « Ouest paisible, coupé d'arbres, aux édifices bien peignés et clairs. » (Aragon).

Le pastiche des styles anciens ne préjuge cependant en rien de l'aménagement intérieur. D'autant qu'une série d'innovations extraordinaires vient apporter un confort jusque-là inconnu. L'eau courante, le tout-à-l'égout, l'électricité, le gaz (à tous les étages…), le téléphone, le chauffage central viennent bouleverser les habitudes de vie et d'hygiène. Les hôtels en sont évidemment les bénéficiaires prioritaires.

Les deux chapitres qui suivront seront atypiques, car non chronologiques. Ils sont en effet consacrés à deux styles très particuliers qui ont vu le jour au cours de la même période : le style campagnard et l'Art nouveau.

L'inspiration médiévale

Viollet-le-Duc, Chateaubriand, Victor Hugo et bien d'autres ont contribué à parer le Moyen Âge gothique d'une aura romantique d'autant plus exotique et attirante que, comme on l'a constaté au cours du premier chapitre, les vrais témoignages médiévaux sont bien rares à Paris.

Cela nous vaut d'étonnantes constructions que l'on considère souvent avec amusement et presque toujours avec plaisir. Il va sans dire que la fidélité de l'artiste à son modèle peut subir de petits coups de canif. Souvent, les fenêtres n'ont pas de meneaux ou des meneaux bizarroïdes. Les lucarnes, quand il y en a, sont fréquemment dépourvues de ces gables très ouvragés, véritables dentelles de pierre qui surmontent les lucarnes gothiques. La brique prend une place qu'elle n'avait pas au Moyen Âge. Les murs sont parfois surmontés de créneaux d'opérette qui ne peuvent être que décoratifs (heureusement, d'ailleurs !). L'inspiration peut fort bien avoir été puisée en Flandres et le résultat agrémenté d'étranges colonnettes…

Pastiches de la première Renaissance

La première Renaissance française a laissé plus de traces dans les hôtels particuliers parisiens du XIXᵉ siècle que dans ceux du XVIᵉ siècle ! À l'origine, il s'agissait surtout, à l'image de l'Italie, d'augmenter le nombre des ouvertures, plutôt avares dans les châteaux du Moyen Âge, en multipliant les séries de fenêtres superposées jusqu'aux lucarnes (ces dernières étant cependant une spécificité française). Il s'agissait aussi d'encadrer ces fenêtres de pilastres ornés décorés.

L'ornementation, plaquée sur une structure médiévale, était constituée de motifs géométriques, de grotesques, de cornes d'abondance, de médaillons, de palmettes, de rinceaux venus tout droit de Lombardie.

Seconde Renaissance

Nous la connaissons mieux car elle s'étale de manière répétitive en d'infinies longueurs le long des artères haussmanniennes. C'est la Renaissance de la cour Carrée du Louvre, avec ses frontons triangulaires ou curvilignes, ses arcs en plein cintre au rez-de-chaussée, ses différents ordres grecs, sa régularité et sa symétrie. Là non plus, on ne craint pas les anachronismes : un hôtel qui se souvient manifestement de Carnavalet, avec ses lucarnes et ses bas-reliefs à la Jean Goujon (voir p. 18), sera par exemple doté d'immenses baies en largeur qui ressortissent plus aux années 1930 qu'à la Renaissance.

Tout cela n'empêche d'ailleurs pas de belles réussites, comme cette belle façade du musée Cernuschi ou ce gracieux hôtel de la plaine Monceau.

Deux remarques, enfin. On observe tout d'abord que la grande majorité des hôtels inspirés de la Renaissance datent du début de la période, dans les années 1870. Il faut noter aussi ces alignements de jolis petits hôtels mitoyens dont seule la décoration diffère, comme ceux de la rue de Prony, dans le 17e arrondissement. On touche ici la limite entre « maison de ville » et hôtel particulier.

Sources Henri IV
et Louis XIII

Vous trouverez çà et là, datant surtout des années 1890, différents hôtels en pierre et brique inspirés de cette période. L'un des plus caractéristiques est cet exubérant hôtel dont les lucarnes viennent tout droit de l'hôtel de Sully, qui se trouve juste de l'autre côté de la Seine. Étonnantes et belles, aussi, les petites sculptures qui ornent la porte de cet édifice dévolu aux anciens combattants.

Inspirations Louis XIV…

À Paris, les vraies façades Louis XIV sont majestueuses, équilibrées, un rien solennelles, ce qui ne correspond guère à l'esprit d'une époque qui privilégie plutôt l'ornement que la structure. Vous en trouverez parfois les grands frontons, mais guère de copies un tant soit peu fidèles. En revanche, vous en rencontrerez fréquemment associées à des bas-reliefs, à la manière Louis XVI. Que ceux-ci soient discrets, et l'hôtel garde une certaine légèreté plutôt dans l'esprit de ce dernier style. Qu'ils soient au contraire plus appuyés, associés à des frontons de dessus de fenêtres ou à d'autres ornements, et la façade pourra s'alourdir et tendre vers le baroque.

...Louis XV

Fenêtres cintrées et balcons opulents sont la marque de ce style que vous rencontrerez de temps en temps. Mais pas si souvent, car les architectes ont bien du mal à ne pas en faire un peu trop, en accumulant les ornements et en se rapprochant ainsi plus d'un style vraiment baroque que du vrai style Louis XV, gracieux et équilibré.

… Louis XVI

Fréquemment associé au style Louis XIV, donc, le style Louis XVI lui prête ses ornements souvent antiquisants : bas-reliefs mythologiques, guirlandes de fleurs ou de fruits, draperies, faisceaux d'armes, cornes d'abondance, feuilles d'acanthes, etc. C'est après 1900 que vous découvrirez les hôtels les plus fidèles et les plus réussis.

... et parfois,
les trois à la fois

C'est le cas de cet hôtel qui cumule les styles
Louis XV et Louis XVI au bel étage, plutôt
Louis XVI au second, avec quelques arrière-
goûts de Louis XIII dans les chaînes de pierres
saillantes ou dans les hautes cheminées.

Cet autre est de style Louis XV au bel étage,
Louis XIV et Louis XVI, au-dessus.

L'irruption du baroque

Le baroque n'est pas ici un style défini une fois pour toutes. Il s'applique d'ailleurs sur des styles préexistants, comme ceux que nous venons de décrire. C'est plutôt un état d'esprit qui porte à exacerber le rôle des ornements : les consoles vont prendre du volume et seront décorées de mille manières, les frises vont se dérouler le long de la façade de façon envahissante, les balcons seront très travaillés, les toits s'orneront de « putti » (des angelots) ou d'urnes de toutes sortes, les « petits-bois » des fenêtres seront très chantournés, des grilles très ouvragées crouleront sous les ors... Parfois, même, c'est toute la façade qui s'anime, se gonfle de courbes, de contre-courbes et d'ornements hypertrophiés. Le baroque, c'est le règne du débordement généreux et de l'excès magnifique.

Il est cependant bien rare que les architectes versent dans une désagréable outrance : bon nombre des hôtels que l'on peut à juste titre considérer comme baroques constituent de réelles réussites architecturales.

Distinguer le pastiche de l'original : un problème ?

Pour le style Louis XVI comme pour les autres styles, il n'est que de comparer le pastiche à l'original pour s'apercevoir que la confusion est difficile. L'éclectisme, même quand il ne puise pas à plusieurs sources en même temps, s'inspire surtout de l'ornementation. Les grandes lignes architecturales ne sont pas respectées et l'esprit de chacun, fidèle à l'esprit de sa propre époque, reste différent.

D'ailleurs, alors que l'original est situé entre cour et jardin, sa copie de la fin du XIXe siècle ne l'est plus que rarement. En outre, la copie est en général plus riche, plus ornée et cossue que son modèle. Autant d'éléments qui font que, dans la plupart des cas, on arrive très vite à faire la distinction.

Les inclassables

Il arrive aussi que l'on ne sache pas très bien d'où viennent les emprunts ou bien que l'architecte ait vraiment fait œuvre originale. C'est le cas de cet hôtel aux décors fins et recherchés, d'aspect vaguement Renaissance, aux six jolies cariatides vêtues seulement de leur collier et d'un pudique fouillis végétal. Elles sont ici rassemblées sous le regard attentif de la chatte du logis.

C'est aussi la Renaissance qui perce dans cet hôtel de la plaine Monceau. Mais l'usage de poteries colorées, de briques bicolores et de céramiques polychromes introduit une note de fraîcheur et de gaieté dans un style parfois un peu ténébreux. Quant à cet hôtel de 1898, il est, en dépit d'une certaine influence arabisante, totalement original. En outre, il annonce clairement le style Art déco qui ne s'épanouira pourtant qu'un quart de siècle plus tard.

Évolution de l'agencement, évolution des mœurs

Au rez-de-chaussée sur jardin d'un grand hôtel, vous trouvez les salles de réception avec antichambres, vestibules, galerie, et salons. S'y ajoutent le fumoir et le billard pour les hommes, des boudoirs pour ces dames. Les salles à manger – familiale ou de réception – donnent sur cour ou sur rue. L'office, la cuisine, la buanderie et la chaufferie se trouvent en sous-sol ou au rez-de-chaussée car la disparition des communs les contraint à réintégrer le logis.

Les chambres de Monsieur et de Madame sont au premier étage. Soit ils ont des appartements séparés comme autrefois, soit ils font chambre commune. Dans un cas comme dans l'autre la salle de bains peut être commune ou séparée. Notez qu'il s'agit maintenant – eau courante, tout-à-l'égout et chauffage central obligent – de vraies salles de bains et non plus de cabinets munis comme antan d'une table de toilette, d'une cuvette, d'un broc et d'un tub dans le meilleur des cas. De la même manière, l'invention anglaise des W.C., avec cuvette et siphon, permet de rapprocher ces lieux autrefois malodorants, tout en portant un premier coup sévère à l'hégémonie séculaire du pot de chambre et du vase de nuit…

Les enfants sont encore logés dans de petites chambres sous les combles, à proximité des domestiques. Cependant, dans le meilleur des cas, vous trouvez maintenant une chambre des garçons et une chambre des filles au premier étage. Cette promiscuité n'est pas perçue comme gênante, dans la mesure où, dès l'âge de 12 ans, à l'approche de la puberté, les uns et les autres poursuivront leurs études en internat. Cette habitude a d'ailleurs perduré dans certaines « bonnes familles » jusqu'au XXe siècle, dans les années 60.

Un siècle d'incursions de la campagne en ville

En 1860, la ville de Paris, débordant du mur des Fermiers généraux, étend son emprise jusqu'au rempart de 1841. La capitale double ainsi sa surface. Des poches de résistance à l'urbanisation galopante s'organisent cependant et des îlots de verdure, forts des expériences effectuées durant la monarchie de Juillet, s'établissent çà et là. Naissent ainsi des « squares », des « villas », des « hameaux », des « avenues » privées, formes diverses de lotissements dotés de statuts collectifs variés et, surtout, de la volonté de profiter alternativement des avantages de la ville et de ceux de la campagne.

Quand il en a fini avec les affaires, chacun peut ainsi se retirer sur ses terres en compagnie choisie. Ces propriétés sont parfois si bien gardées qu'elles font figure de places fortes dans la ville, parfaitement closes et protégées, hérissées de caméras et surveillées par des cerbères qui préviennent l'irruption de tout promeneur étranger.

On pourrait croire que le phénomène est réservé aux arrondissements les plus cossus de la capitale. Il n'en est rien : c'est l'ensemble de la petite banlieue qui est touchée, à des dates diverses jusqu'aux années 1930. Cette zone était auparavant peuplée de petits villages dont les voies d'accès se sont petit à petit bordées de maisons, à mesure que la mégapole étendait ses tentacules. C'est dans les interstices laissés libres par ces routes que se sont glissés à temps nos agrestes lotissements.

Les constructions y sont diverses. Certaines ressemblent tout simplement aux hôtels particuliers qui peuvent se construire ailleurs à la même époque. Le statut de cette sorte de copropriété peut alors imposer que les hôtels soient posés au milieu de la verdure ou, au contraire, que les façades y soient mitoyennes et alignées. Mais beaucoup d'autres marquent une nette rupture avec le style urbain et s'en vont puiser leur inspiration du côté des grandes demeures de la côte normande ou, à l'opposé, dans les chalets montagnards. Pour faire bonne mesure, il n'est d'ailleurs pas interdit d'ajouter une note médiévale à ces vélléités bucoliques, d'instiller un peu de nostalgie dans l'anti-urbain…

Si vous prétendez trouver des points communs à l'ensemble de ces constructions, vous ne pouvez que remarquer que la brique y prend souvent une part importante. La blanche pierre de taille est en effet perçue comme l'apanage des constructions urbaines, alors que la brique semble moins raide, plus chaude et plus familière. Autre caractéristique fréquente qui va dans le même sens : l'importance du bois. Il est présent dans les colombages, les bordures des rives des toits, les volets (ailleurs pliants et métalliques) et les balcons (ailleurs en fonte).

Vous pouvez enfin remarquer que ces rustiques demeures s'échappent parfois de leurs lotissements et viennent égayer la ville elle-même, constituant ainsi de reposantes ruptures dans les alignements urbains conventionnels.

Maisons normandes

Il s'agit plutôt d'une Normandie pittoresque d'opérette, telle que l'on pouvait la voir sur ces côtes normandes qui deviennent à la mode. Les colombages plus ou moins fantaisistes y sont de rigueur. Plaqués, en général, sur la façade, leur fonc- tion consiste plus à la décorer qu'à la soutenir. Les fenêtres sont dotées de petits carreaux, tandis que les toits, pentus et pointus, apportent une note ancienne. Rien n'empêche, d'ailleurs, de compléter le tableau d'une touche Louis XIII en mariant les rouges et les blancs, ou d'un zeste de Moyen Âge en déroulant une frise qui rappelle les enluminures.

Châlets et maisons de campagne

Si le style chalet est plus adapté à de petites maisons qui ne peuvent prétendre au statut d'hôtel particulier, on en retrouve cependant les bois, souvent associés à la brique, dans certains hôtels de l'époque : lucarnes, dentelles de bois qui bordent les rives des toits, ornementation des pignons, persiennes…

Ce type d'hôtel ouvre d'ailleurs la voie à des générations de maisons du même style, parfois un peu plus modestes, qui essaimeront dans les environs de Paris.

Le chalet suisse

Par exception, le chalet peut parfois atteindre de telles dimensions que son statut social s'en trouve modifié. C'est le cas de cette très belle maison de bois qui n'est que décrochements, pignons et clochetons. Remarquablement construite, assemblée sans aucun clou, elle accueillit le pavillon suisse de l'Exposition universelle de 1878, avant d'être démontée et remontée en proche banlieue.

Influences
médiévales

Rien n'interdit de se dépayser non seulement
dans l'espace, mais aussi dans le temps, en flan-
quant sa demeure médiévale d'une belle tour octogonale avec toits pentus, mâchicoulis et hallebarde,
ou d'imaginer que l'on habite un bel hôtel du
XVe siècle avec tourelle, gables et bas-reliefs en
bois plus vrais que nature.

CLASSIQUE ET BAROQUE : QUELQUES DÉFINITIONS

La *Renaissance italienne* est née dans le nord de la péninsule, à Florence, au **XVᵉ siècle**. C'est ici et à ce moment-là qu'ont été élaborées, en s'inspirant librement de l'Antiquité, les formes que toute l'Europe et les Amériques vont décliner ensuite pendant plus de quatre siècles. C'est de cette époque que nous vient l'emploi systématique des légers arcs en plein cintre, des frontons, des fûts lisses, des pilastres, des bossages et des refends que nous ne cessons de rencontrer dans ce livre.

Ces innovations se diffusent bientôt dans les autres villes de la péninsule au cours de ce XVᵉ siècle, alors que le gothique triomphe encore dans tout le reste de l'Europe.

Au **XVIᵉ siècle**, c'est Rome qui prend le relais de Florence, systématisant d'abord les acquisitions précédentes. Elle trouve dans cette tâche un solide appui en la personne de Serlio, dont les ouvrages, commencés en 1537, serviront de bible à des générations d'architectes de par le monde. C'est ce moment que Michel-Ange choisit pour s'établir à Rome, introduisant bientôt une extraordinaire liberté dans une architecture qui commençait déjà à se figer dans sa tradition. Son intervention s'insère dans un mouvement appelé *maniérisme*, que l'on pourrait définir comme une architecture des effets savants.

C'est aussi au XVIᵉ siècle que la Renaissance se diffuse dans le reste de l'Europe. Après l'Italie, c'est l'Espagne qui, la première, adopte l'architecture savante romaine, accentuant souvent la profusion et les formes bizarres. La France suit l'Espagne, se bornant tout d'abord à plaquer des ornements antiquisants sur des structures médiévales. C'est ce qu'on a appelé *la première Renaissance*, celle des châteaux de la Loire. Puis la structure elle-même évolue et la grammaire des formes s'italianise. C'est *la seconde Renaissance*, celle de la cour Carrée du Louvre. Quant aux hôtels particuliers parisiens, ils restent de facture classique, voire sévère, laissant assez peu de place au maniérisme.

Après la France, la nouvelle architecture se diffuse aux Pays-Bas, en Flandres, en Angleterre, en Europe de l'Est et en Allemagne.

Au **XVIIᵉ siècle**, classique et baroque se partagent l'Europe. D'un côté, les *architectures classiques*, qui privilégient la raison et l'équilibre, trouvent leur terre d'élection en France, dans les styles Louis XIII et Louis XIV. De l'autre, *les architectures baroques*, qui exacerbent le maniérisme en privilégiant la passion sur la raison, l'exubérance du décor, la courbe et la contre-courbe, les formes aériennes sur la stabilité, conquièrent le reste de l'Europe et le Nouveau Monde lui-même.

Enfin, dès le début du **XVIIIᵉ siècle**, l'architecture française elle-même s'assouplit graduellement, styles Régence et Louis XV aidant. À l'extérieur du bâtiment, l'évolution reste sage. La grâce ne fait pas oublier la raison et l'architecture ne peut être qualifiée de baroque. À l'intérieur, en revanche, le style *rocaille* privilégie le décor à un point tel que l'on peut le considérer comme baroque. La rocaille est cet élément contourné et sinueux, inspiré des roches, des lichens et des coquillages, employé généreusement dans tous les décors de boiseries.

Pendant ce temps-là, les stucs *rococo*, encore plus libres et débridés, envahissent les façades des palais allemands et le reste de l'Europe.

Pour conclure de manière claire en une matière ou règne parfois une certaine confusion, l'emploi d'éléments décoratifs antiquisants ne suffit absolument pas pour parler de classicisme car, avec les mêmes éléments employés de manière débridée, on peut fort bien faire œuvre baroque. Classique ou baroque ? Ce ne sont pas les éléments factuels qui vont faire la différence, mais l'esprit dans lequel ils sont mis en œuvre.

En ce sens, certaines églises gothiques, magnifiquement équilibrées et simples, sont très classiques, tandis que les dernières églises flamboyantes peuvent être tout à fait baroques. La Renaissance italienne, notre mère à tous, a elle-même été tour à tour classique et, dans certaines de ses manifestations, baroque. Le style Louis XV est, nous l'avons vu, plutôt classique en façade et plutôt baroque dans l'intimité. Quant au très élégant style Restauration, il a été suivi d'un style Louis-Philippe nettement moins retenu et parfois clairement baroque. Enfin, nous avons pu constater que les références récurrentes des styles haussmanniens et néo-haussmanniens à l'Antiquité ne les garantissaient absolument pas de la tentation baroque.

Les flux et les reflux continuent ainsi, avec une constante, cependant : les éruptions baroques de l'architecture française se noient toujours assez rapidement dans le calme océan de la raison classique…

Cette (trop) courte parenthèse est destinée à mettre un peu d'ordre dans des notions que les approximations sémantiques contribuent souvent à rendre un peu vagues. Certains pourront, à juste titre, les considérer comme réductrices. Aussi est-ce à chacun de nous, si le cœur lui en dit, d'enrichir ce qui n'est ici qu'un schéma.

179

L'Art nouveau
(1895-1914)

L'architecture française a attendu l'aube du XXᵉ siècle pour se libérer du grand choc provoqué par la Renaissance italienne. Nous n'en finissions plus de décliner avec brio les trois ordres grecs et les deux ordres italiens, avec force frontons, colonnes et pilastres. Les répits ont été brefs. Le premier fut un véritable éblouissement : il s'agit du style Louis XV, qui a magistralement rompu le lien qui nous rattache à la Méditerranée classique pour inventer un nouveau langage, plus souple et plus délié, dont l'inspiration est d'abord végétale. Le second, deux siècles plus tard, puise à la même source d'inspiration. Il rompt ainsi avec l'éclectisme, qui persistait à copier tous les styles précédents, pour créer un style vraiment original : l'Art nouveau, qui éclôt vers 1895.

Cette seconde irruption du végétal dans l'art ne produit pas précisément les mêmes effets. Mais l'esprit est identique : les façades deviennent plus souples, les droites s'incurvent, les perpendiculaires se raréfient, les symétries disparaissent (« pas une branche ne ressemble à une autre branche », dit Guimard). Les plantes elles-mêmes partent parfois à l'assaut de la façade, éclatant dans les sommets en gerbes de fleurs et en fruits dorés. La façade y gagne en grâce ce qu'elle a perdu en solennité. Les sculptures de l'époque, au demeurant peu présentes sur les hôtels particuliers, font d'ailleurs la part belle aux figures féminines et aux évanescentes grâces adolescentes.

À cela s'ajoute un certain goût pour la diversité des matériaux. C'est ainsi qu'à côté du béton, qui fait une apparition encore timide auprès de la pierre de taille, vous trouvez la brique, le bois, le métal et, de plus en plus, la céramique colorée de diverses manières. Ces matériaux sont rarement employés seuls : les architectes prennent plaisir à les combiner pour souligner les structures, jouer avec les couleurs, introduire des motifs décoratifs. L'Art nouveau est ainsi le fruit de l'heureuse rencontre entre une nouvelle logique constructive et une floraison de motifs qui relèvent plus des arts décoratifs que de l'architecture proprement dite.

Enfin, peut-être vous souvenez-vous que le style Louis XV a vu l'éclosion d'une espèce d'âge d'or du fer forgé, travaillé en des formes souples et très séduisantes. Le même phénomène se reproduit ici avec la fonte, assorti d'une très grande liberté d'inspiration : on va du motif floral à des formes presque géométriques, en passant par les grands paraphes nerveux de Guimard ou par toutes sortes de motifs plus ou moins fantastiques.

Le mouvement a été à la fois international et assez éphémère. Si c'est par la Belgique qu'il s'introduit en France, il trouve aussi son équivalent en Italie (le style Liberty), en Espagne (Gaudi), en Allemagne (le Jügenstil), en Autriche (la Wiener Session)… Il a souvent été incarné par des personnalités exceptionnelles – chez nous, Guimard et Lavirotte – dont la liberté a heurté les goûts établis de nombre de leurs contemporains. Alors que l'Art nouveau nous intrigue ou nous enchante, il a été mal supporté jusqu'à une époque récente. Il n'est que de se souvenir que bien des œuvres de Guimard ont été détruites ou défigurées moins d'un siècle après leur construction. Au reste, le mouvement a été jugulé assez vite.

Un petit courant d'air pur, cependant, sur le pastiche et l'académisme !

Le règne végétal

Il n'apparaît pas toujours de manière explicite et peut relever de la simple suggestion. Ainsi, à côté de motifs qui évoquent vaguement des guirlandes florales, vous notez le savant jeu de courbes et de contre-courbes qui fait onduler la façade de cet hôtel de Guimard.

Vous pouvez parfois trouver des motifs qui rap-pellent, de manière un peu plus débridée, les décors rocaille du style Louis XV.

La référence à la nature peut aussi être beau-coup plus réaliste, comme dans ce petit hôtel de la plaine Monceau, bien sage par ailleurs, orné sous la corniche d'une frise aux pommes de pin. Noter d'ailleurs, en passant, que les motifs de clé des arcs des fenêtres sont beaucoup plus abstraits et que l'ar-chitecte a réalisé une plaque de rue d'un graphisme très Art nouveau.

La brique dans tous ses états

Les architectes redécouvrent la brique. Dans certains cas, elle est employée comme un matériau assez neutre. C'est parfois l'usage, pas toujours très heureux, qu'en fera Guimard en employant ces briques mêlées de ciment. Elles ont l'avantage d'être très résistantes, mais leur aspect grisâtre est un peu triste. Pourtant, Guimard avait déjà administré des preuves de son savoir-faire pour créer de joyeuses harmonies de couleurs dès 1891, à la villa Roszé, puis, en 1893, à la villa Jassédé.

Autre exemple, avec ces deux constructions situées près de l'Observatoire qui sont intéressantes à plus d'un titre. L'une, de briques rouges, est surmontée d'un atelier en avancée sur des sortes de mâchicoulis. L'autre présente des briques jaunes agencées en d'agréables motifs géométriques. L'une et l'autre préfigurent des formes que l'on retrouvera fréquemment dans les hôtels des années vingt et trente.

La céramique apparaît

La villa Roszé qui précède est un bon exemple précoce de l'emploi de la céramique dans les constructions de Guimard antérieures au « style Guimard ».

Vous en trouvez un exemple plus tardif dans un hôtel particulier du quartier de l'Étoile, devenu ensuite hôtel de tourisme, signé par Lavirotte en 1904. La céramique de Bigot (qui équipa aussi le métro) revêt entièrement la construction. Des plantes jaillissent d'amphores placées au rez-de-chaussée et s'élancent à l'assaut des étages, des balcons et des saillies de la façade.

De même, Richard et Audiger signent quatre ans plus tard, dans le 16e arrondissement, un hôtel dont les souples inflexions et maints autres détails rappellent l'art islamique. Cabochons et motifs floraux en céramique y couvrent une grande partie de la façade contribuant à mettre sa stucture en valeur.

Enfin, on doit remarquer que ce rutilant revêtement ne se borne pas à orner les hôtels particuliers : on en trouve de très beaux exemples dans les immeubles et dans l'intéressante église Saint-Jean-de-Montmartre, place des Abbesses.

Fontes et fers forgés : l'explosion

Les appuis des fenêtres sont le plus souvent en fonte car les techniques de moulage permettent d'élaborer les formes complexes qui conviennent à l'inspiration végétale dominante. Les tentatives précoces de Guimard à l'hôtel Jassédé, à vrai dire peu caractéristiques de l'Art nouveau, frappent cependant par leur originalité : motifs géométriques et curieux petits bonshommes solaires.

Plus tard, le style de Guimard évolue profondément et l'on reconnaît dans ce balcon de l'hôtel Mezzara les célèbres lignes en coup de fouet, très inspirées des tiges florales, sans cependant que l'on puisse jamais identifier clairement quelque forme que ce soit. Il s'agit d'un végétal abstrait, traité de manière très graphique, qui rappelle le paraphe nerveux et un peu compliqué dont nos aïeux aimaient parfois orner leur courrier. On voit du reste que les éléments sculptés font aussi appel à ces végétaux dont la réalité n'est qu'esthétique.

Ce balcon qui orne un hôtel de Lavirotte est signé Dodelinger. Sa forme d'ensemble est très Louis XV, tandis que son dessin et sa forme générale sont à la fois très originaux et très typiques de l'Art nouveau.

Enfin, jetons pour une fois un coup d'œil vers le bas

pour découvrir cette autre composition de Dodelinger qui orne un soupirail. On pense à des rides aquatiques venue troubler l'image d'une gerbe de roseaux. Ou, peut-être, l'inspiration est-elle plus animale que végétale et s'agit-il d'un nœud de vipères qui protègent les accès ?

Des emprunts à l'Art nouveau

Dans certains hôtels, les sculpteurs se sont bornés à plaquer des motifs Art nouveau sur des structures éclectiques. C'est le cas de cet hôtel, d'inspiration vaguement médiévale, entièrement recouvert de branches et de pommes de pin, ou de cet autre dont les bandeaux, les ferronneries et les gables surmontant les lucarnes sont aussi plaqués sur une structure éclectique.

Le bas-relief, un peu évanescent mais très typique, qui encadre cette porte munie de belles poignées, relève du même esprit.

Hector Guimard
(1867-1942)

Hector Guimard est la figure de proue de l'Art nouveau en France. Après des débuts très précoces (il décroche sa première commande à l'âge de 21 ans), il fait très vite la preuve de son originalité à l'hôtel Roszé (1891) et à l'hôtel Jassédé (1893). Il y mélange les matériaux (meulière, briques de couleurs variées, pierre de taille, céramique…), cultive les dissymétries, articule nettement les volumes, dessine des fenêtres montantes pour l'escalier… C'est cependant en 1895, grâce à Horta, qu'il découvre à Bruxelles le profit que l'on peut tirer de la veine végétale. Il s'en inspire sans tarder au Castel Béranger, un immeuble dont il achevait alors les plans.

Les hôtels particuliers vont désormais se succéder dans le 16e arrondissement jusqu'en 1912, date d'achèvement de son propre hôtel de l'avenue Mozart. Dans ces hôtels, il incarne à la fois l'audace et la réflexion, la sensualité et l'emploi très raisonné des matériaux, l'amour des lignes ondoyantes et la franchise des partis retenus. Il est en cela adepte de Viollet-le-Duc, qui professait que « tout emploi dissimulé d'un moyen ne saurait conduire à des formes neuves ».

Immense architecte, maîtrisant parfaitement la fonte, grand créateur de mobilier urbain, de graphismes et de meubles de toutes sortes, Hector Guimard fait partie de la très petite cohorte des esprits inventifs qui, contre vents et marées, conformismes et passéismes, ont durablement marqué leur discipline.

Jules Lavirotte
(1864-1928)

Il n'a ni la cohérence, ni l'envergure de Guimard. En revanche, il a une espèce de joie de vivre un peu débridée que les œuvres de celui-ci ne respirent pas forcément. Pour l'histoire de l'architecture, Lavirotte est l'homme de quatre bâtiments parisiens : l'hôtel de la rue Sédillot (1899), les deux immeubles de l'avenue et du square Rapp (1900 et 1901) et le Ceramic Hôtel (1904). Ensuite, il rentrera sagement dans le rang avec des œuvres honnêtes, qui ne dérogent guère aux conventions et au goût du jour d'une clientèle fortunée.

L'hôtel de la rue Sédillot est une belle réussite baroque qui n'est pas sans rappeler, en plus débridé, les hôtels Louis XV : motifs végétaux et animaux proches des décors rocaille, élégance de la ferronnerie dont le galbe d'ensemble est tout à fait Louis XV – consoles et motifs restant originaux –, souplesse générale des formes. Noter les étranges balustres des garde-corps, les gracieuses et originales lucarnes, l'étonnante entrée qui, pour accueillir maintenant les élèves du Lycée italien, ne doit cependant rien à la Renaissance.

Le Ceramic Hôtel se distingue par l'emploi massif du grès flammé, orné d'un décor végétal exubérant qui souligne l'agencement complexe et savant des différents balcons, des bow-windows décalés et des mansardes superposées. Remarquez aussi les scarabées, symboles solaires de résurrection chez les Égyptiens. Les ferronneries sont élégantes et déliées.

On doit à la vérité de souligner que les deux immeubles de l'avenue et du square Rapp illustrent mieux encore que ces deux hôtels la fantaisie, la sensualité et la créativité un peu folle de Jules Lavirotte.

Vers le Mouvement moderne et l'Art déco

Certaines constructions, et notamment des ateliers d'artistes où l'architecte se sent délivré des contraintes en vigueur, marquent clairement une anticipation sur les courants que vous allez rencontrer dans l'entre-deux-guerres.

C'est le cas de cet hôtel de 1903 dont la corbeille de fleurs et de fruits qui orne le fronton va devenir un des poncifs de l'Art déco.

De la même manière dans cet hôtel d'artiste de 1908. Son auteur, Charles Plumet, n'a jamais sacrifié avec ardeur au décor Art nouveau. Il n'en reste ici que la légère ondulation très féminine de ce bow-window sur une façade très plane. Cette économie de moyens préfigure nettement nombre de constructions des années vingt ou trente.

Quant à Paul Guadet, il est plutôt un précurseur du Mouvement moderne. Passionné par les perspectives offertes par l'emploi du béton, il conçoit en 1912 cette maison destinée à son propre usage. Elle est supportée par des poteaux clairement exposés, tandis que les murs, jusqu'ici porteurs, sont remplacés par des baies vitrées. Le béton, omniprésent, constitue jusqu'au lit du maître d'ouvrage !

LES ANNÉES 20 ET LES ANNÉES 30

Avant la guerre de 14

Le style Art déco

Le séisme sanglant entraîné par cette guerre qui ravage la France provoque en retour, sorte de réplique aux secousses, un profond changement de mentalité. On a souvent dit que le XIXe siècle s'achevait avec la guerre de 14-18 et c'est particulièrement vrai en architecture. Presque d'un seul coup, les architectes abandonnent les pastiches plus ou moins néoclassiques dans lesquels la plupart se complaisaient depuis des générations.

Passé une longue période de stupeur, la construction parisienne reprend donc en 1923, complètement régénérée par le cataclysme : les volumes deviennent subitement lisibles et évidents, l'ornementation, quand il y en a, ne se répartit plus sur la totalité de la façade, mais se cantonne en quelques endroits précisément repérés.

L'embellie est de courte durée. Dès 1929, les nuages s'amoncellent outre-Atlantique et les contrecoups de la crise américaine se font progressivement sentir chez nous. À partir de 1933, toute velléité de nouvelle construction d'hôtel est bloquée. Ainsi, pour nous, les années 20 et 30 ne durent au total qu'une dizaine d'années, même si ces années-là vont avoir des répercussions considérables sur l'architecture de la seconde moitié du XXe siècle.

Qui plus est, l'évolution des hôtels durant ces dix ans est assez différente de celle des immeubles. Ceux-ci, on s'en souvient[1], ont connu successivement deux styles : le style Art déco, qui recouvre principalement les années 20, et le style de l'École

(1) *Reconnaître les façades, même auteur, même collection.*

Le Mouvement moderne

de Paris, qui s'épanouit surtout dans les années 30. Pour les hôtels, en revanche, les deux styles coexistent dès 1923, et c'est ensemble qu'ils vont s'éteindre en 1933.

Comme il importe de les distinguer, vous trouverez ci-après deux chapitres pour cette même période de l'entre-deux-guerres : l'Art déco et le Mouvement moderne.

Les années 20 et les années 30
Le style Art déco

Il s'agit d'un style protéiforme. Aussi, le définir n'est-il pas chose aisée. Une première possibilité serait d'appeler Art déco tout ce qui n'est pas Mouvement moderne dans l'entre-deux-guerres. Elle n'est évidemment pas satisfaisante, car elle aboutit à affubler de cette appellation des constructions éclectiques d'architectes nostalgiques d'avant la guerre de 14-18. Pour sortir de l'incertitude, vous disposez en réalité de trois clés qu'il vous faudra actionner simultanément.

La première s'appelle simplicité. Fini le fatras poussiéreux plus ou moins inspiré de l'Antiquité ou de la Renaissance. Adieu frontons, colonnes et pilastres. La façade se dépouille de ses vieux oripeaux pour surgir plus nue, plus jeune, plus compréhensible, en meilleure harmonie avec une époque qui célèbre « la garçonne ». Elle s'allège ainsi d'une grande partie de ses reliefs de toutes sortes : refends qui la striaient, balcons omniprésents, fontes empâtées, consoles généreuses, bow-windows opulents... Les matériaux eux-mêmes évoluent. La pierre de taille un peu imposante et solennelle laisse progressivement place à la brique, au plâtre et aux crépis.

La deuxième clé s'appelle, pour faire honneur à l'appellation du style, décoration. Il ne s'agit pas, après avoir évacué l'attirail néoclassique, de le remplacer par un autre. Les nouveaux éléments de décoration font beaucoup plus partie de la structure de l'hôtel. Parfois, il s'agit de jeux dans la disposition ou la couleur des briques. Parfois aussi, ce sont de légers bas-reliefs aux motifs plus ou moins floraux, caractéristiques de l'époque. Parfois encore, ce sont des corniches très saillantes, un peu comme au Trocadéro. Souvent, l'architecte joue sur la variété des ouvertures. Enfin, dernière touche « déco », les ferronneries se font légères, très graphiques, plus proches du fer forgé que de la fonte.

La troisième clé ouvre bien des portes, mais elle ne fonctionne qu'avec un peu de patience : c'est l'intuition qui vous permet, parfois à partir d'un seul détail, de soupçonner l'époque de construction, en dépit des fluctuations du style. Mais au fond, rien là de bien nouveau : c'est souvent comme cela que nous apprenons à identifier, nommer, relier...

Réminiscences de début de siècle

On en trouve quelques-unes, notamment dans les quartiers les plus huppés du 16e arrondissement et avenue Foch.

Par exemple, on peut mentionner ce surprenant et superbe Trianon aux pilastres de marbre rose, construit en 1921.

Bien différent est ce petit hôtel signé Guimard, un an plus tard. Le maître de l'Art nouveau semble s'y cramponner au style qui a fait sa gloire. Attachement un peu surprenant, car il va prouver bientôt dans ses immeubles qu'il sait se renouveler. La technique de construction, en revanche, est révolutionnaire, puisqu'il utilise à sec, sans aucun mortier, des éléments préfabriqués par ses soins. Notons tout de même que ces deux hôtels, peut-être conçus avant la fin du conflit, précèdent le gros de la vague Art déco, et semblent n'être que les vestiges de la vague précédente.

Le cas de cet hôtel d'Emilio Terry est différent. La volonté néoclassique y est clairement affichée avec ces pilastres ioniques, ce fronton et ce rez-de-chaussée très refendu, presque maniériste. En revanche, le créateur a cherché et trouvé un terrain d'entente, pourtant assez improbable, avec les dogmes du Mouvement moderne dont à l'évidence certaines parties relèvent.

Le même compromis entre néoclassicisme des bas-reliefs et dépouillement architectonique se retrouve dans cet hôtel.

L'âge d'or de la brique

Elle était déjà présente dans l'Art nouveau et dans les constructions « rurbaines » de la période précédente. La brique devient très courante dans les constructions Art déco. C'est du reste un matériau intéressant à plusieurs titres, car, comme on le voit sur ces deux maisons de 1925, elle permet de jouer sur les couleurs de la brique et sur la manière de la disposer. Sans compter que l'on peut lui donner différentes formes au moulage. De plus, elle accroche bien la lumière et peut ainsi donner à la façade un relief tout à fait saisissant.

Toutes sortes d'ouvertures

Les architectes prennent plaisir à décliner, souvent sur la même façade, la gamme des différentes formes d'ouvertures : rectangulaires, en œils-de-bœuf ronds ou ovales, surmontées d'arcs de toutes sortes (en plein cintre, surbaissés, surhaussés, en anse de panier...).

Des ferronneries souples, graphiques…

À la suite de l'Art nouveau, le style Art déco correspond à un nouvel âge d'or de la ferronnerie. La créativité y est vraiment très grande et, qui plus est, elle ne doit rien aux époques antérieures. Sa variété n'est pas moindre. Elle va de motifs totalement abstraits jusqu'aux gracieuses vasques de fleurs ou de fruits. Un coup d'œil sur les portails, les appuis de fenêtres ou de balcons est donc souvent un petit plaisir volé, un peu solitaire d'ailleurs, car les passants (et nous aussi, souvent) les ignorent de manière totale.

…et des vasques de fleurs et de fruits

Elles constituent un moyen infaillible pour repérer le style Art déco. Celles que vous trouvez sur les appuis ne sont pas toujours aussi spectaculaires que celle-ci, dont la prolixité est exceptionnelle. Vous pouvez aussi les trouver en bas-reliefs, comme celui qui couronne joliment cette fenêtre et son élégant appui. D'une manière générale, les motifs végétaux et aquatiques sont du reste à l'honneur.

Les années 20 et les années 30
Le Mouvement moderne

 e même que les Français n'ont pas été à l'origine de l'Art nouveau tout en y ayant joué un rôle important, de même ils ont pris une place essentielle dans le Mouvement moderne sans en être les instigateurs. Dès avant la guerre, des architectes comme Franck Lloyd Wright à Chicago ou le Viennois Adolf Loos – « l'homme moderne n'a pas besoin d'ornement. Il le déteste… » – avaient déjà frayé la voie. Mais c'est à un architecte français, Le Corbusier, que l'on doit en grande partie la théorisation et la vulgarisation du mouvement dans le monde entier. Notre pays était d'ailleurs d'autant moins à l'écart que, grâce aux travaux de trois Français, Monier, Hennebique et Frayssinet, l'avènement du béton armé révolutionnait les possibilités créatrices dans le domaine architectural.

La citation de Loos en dit assez long quant aux sentiments peu amènes des nouveaux architectes à l'égard du style Art déco ! Ce n'est pas pour rien que le Mouvement moderne, ou style international, s'est aussi appelé rationalisme, fonctionnalisme, purisme, voire, par dérision, nudisme… L'un de ses principes fondateurs, inspirés des enseignements de Viollet-le-Duc, est que la beauté d'une construction résulte pour beaucoup de la concordance de ses formes avec les fonctions qu'elle remplit. On en vint donc à privilégier les formes géométriques simples, la sobriété, la limpidité. De la géométrie et de la justesse de l'agencement des formes dans la lumière, jaillit la beauté. Cette autonomie, cette liberté nouvelle de la façade, est aussi l'un des cinq principes du Mouvement moderne.

Des pilotis profondément enfoncés en terre étaient également censés permettre de libérer la construction du sol tout en permettant à la nature de conserver son emprise. Elle ne le fit d'ailleurs que rarement, car cet espace libre se révéla non seulement peu utile, mais aussi, d'un agrément discutable.

Le béton permet d'ouvrir des fenêtres de toutes formes et, notamment, en largeur. Celles-ci présentent l'agrément, à une époque où l'on prend conscience de l'importance du soleil pour la santé, de favoriser un ensoleillement optimal. Elles deviennent donc un passage obligé de la nouvelle architecture. C'est le troisième principe.

Une autre liberté offerte par le béton concerne l'aménagement intérieur. La rigidité du système piliers-poutres permet désormais de libérer de très grandes surfaces sans murs porteurs. Le plan devient alors tout à fait libre et chacun peut aménager son espace à sa guise puisqu'il ne s'agit plus que d'ériger des cloisons. Il va sans dire que les premiers bénéficiaires de cette liberté s'en trouvèrent parfois bien embarrassés et que l'on revint bien vite à des conceptions plus dirigistes. Il n'en reste pas moins que les murs porteurs disparaissent, que les surfaces restent modulables et que le revêtement extérieur n'est plus qu'une écorce destinée à isoler du bruit et des intempéries.

Enfin, dernier principe, les toits sont aménagés en terrasse, de manière à pouvoir profiter du soleil et de la végétation que l'on peut y transplanter. Si le toit-terrasse ne donne pas l'assurance d'avoir affaire au style international, son absence, en revanche, est incompatible avec celui-ci.

Le Mouvement moderne constitue une étape essentielle dans l'histoire de l'architecture. Sa pérennité sera d'autant plus grande que la plupart des principes qui le fondent, sont directement issus des nouvelles possibilités offertes par le béton. Deux remarques, cependant.

Tout d'abord, le nombre d'hôtels particuliers édifiés est relativement faible. Ceux-ci datent surtout des années 20 et sont majoritairement situés dans les quartiers sud ou ouest de Paris : le 14e, le 16e et, par extension, Boulogne-Billancourt, très riche en la matière. De plus, comme ils sont généralement réservés à une clientèle fortunée qui entretient des rapports étroits avec le monde de l'art, la pièce atelier y est de rigueur.

Des revêtements discrets

La façade libre implique la neutralité des revêtements : d'une manière générale, elle est enduite d'un crépi blanc. Les essais de surfaces colorées sont d'autant plus difficiles à trouver que les exceptions ont parfois été rebadigeonnées en blanc par la suite (villa Guggenbühl de Lurçat, dans le 14e).

Cet hôtel, de structure très clairement moderne, mais revêtu de briques avec la disposition desquelles l'architecte n'hésite pas à jouer, est donc une exception. Quant à la pierre de taille, elle a ici disparu du paysage.

Des porte-à-faux peu fréquents

Le porte-à-faux était presque de rigueur dans la construction haussmannienne. C'est désormais l'exception, comme l'illustre cette photo d'une rue du 14ᵉ arrondissement où l'on serait bien en peine de trouver le moindre balcon. Le plus important, cependant, est que la structure de la façade reflète bien les différentes fonctions remplies dans l'habitation. On pourra donc trouver un atelier en légère avancée, un auvent sur une terrasse, ou des angles arrondis en saillie.

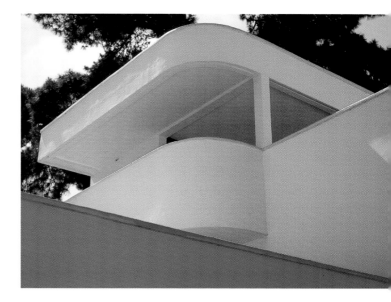

Des structures invisibles

Afin de préserver la pureté de la façade, poteaux et poutres n'y sont pas apparents. Cette règle, respectée par tous, n'est cependant pas évidente et on aurait très bien pu proclamer, au nom du fonctionnalisme, que la structure de l'habitation devait rester apparente. Par exception, c'est d'ailleurs le parti retenu par Auguste Perret, pionnier et grand maître du béton armé dès avant la guerre de 1914, qui, fidèle à lui-même, conserve ensuite des structures porteuses apparentes en façade.

Des fenêtres en largeur

Ce n'est pas un dogme, car certaines fenêtres sont logiquement en hauteur. On peut cependant dire qu'un hôtel dont aucune fenêtre ne serait en largeur ne relèverait pas du Mouvement moderne. Elles affectent d'ailleurs différentes formes, de l'ouverture partielle jusqu'au long ruban qui s'étale sur une partie importante de la façade. Le but est cependant unique : avoir le plus de lumière possible tout au long du jour. C'est pour la même raison que les huisseries sont toujours constituées de minces tiges d'acier noirci.

Vous noterez aussi la fréquence des œils-de-bœuf. Ils sont explicitement inspirés par les hublots de ces grands paquebots qui ont mobilisé l'imaginaire des contemporains et, surtout, fait travailler d'impor-

tantes équipes de designers. Les fines rambardes qui courent le long des toits ont la même origine.

Des ferronneries épurées

La première photo illustre bien la transition entre les années 20 et les années 30. Le riche motif à cabochons dorés semble en effet très Art déco tandis que la ferronnerie elle-même est typique du début des années 30.

La seconde reprend en partie haute un motif familier et assez Art déco de l'architecte Faure-Dujarric, alors que le reste est nettement plus moderne. La dernière, d'une très grande simplicité, se situe beaucoup plus dans l'esprit de l'École de Paris.

Les résidences-ateliers

Il est de fait que les riches clients de Le Corbusier ou de Mallet-Stevens étaient très souvent des artistes ou des personnalités proches des milieux artistiques. C'est pourquoi les trois quarts des hôtels particuliers comprennent des ateliers qui peuvent être utilisés comme tels, mais aussi pour exposer ses collections ou, tout simplement, recevoir ses amis. Les architectes apprécient d'ailleurs ces grandes baies hors normes qui leur permettent de jouer de manière variée et harmonieuse sur la dimension des ouvertures.

Le maître : Charles-Edouard Jeanneret, dit Le Corbusier

Le Corbusier n'est pas seulement un brillant théoricien. C'est surtout un très grand créateur de formes doté d'un coup d'œil fabuleux [« Je suis un âne ayant l'instinct de la proportion. Je suis et demeure un visuel impénitent (...) »][1] .

(1) *Mise au point. Le Corbusier. 1965 (année de sa mort à 77 ans).*

Il est l'auteur, durant l'entre-deux-guerres, d'une vingtaine de villas ou résidences-ateliers (dont quatre à Paris et quatre à Boulogne).

S'il attachait, ce qui lui jouera bien des tours, assez peu d'importance à la réalisation pratique, il concevait l'intérieur de ses œuvres avec autant de créativité que l'extérieur : une belle sculpture à habiter et à parcourir pour découvrir sur plusieurs étages la variété des plans, des formes, des espaces et des perspectives.

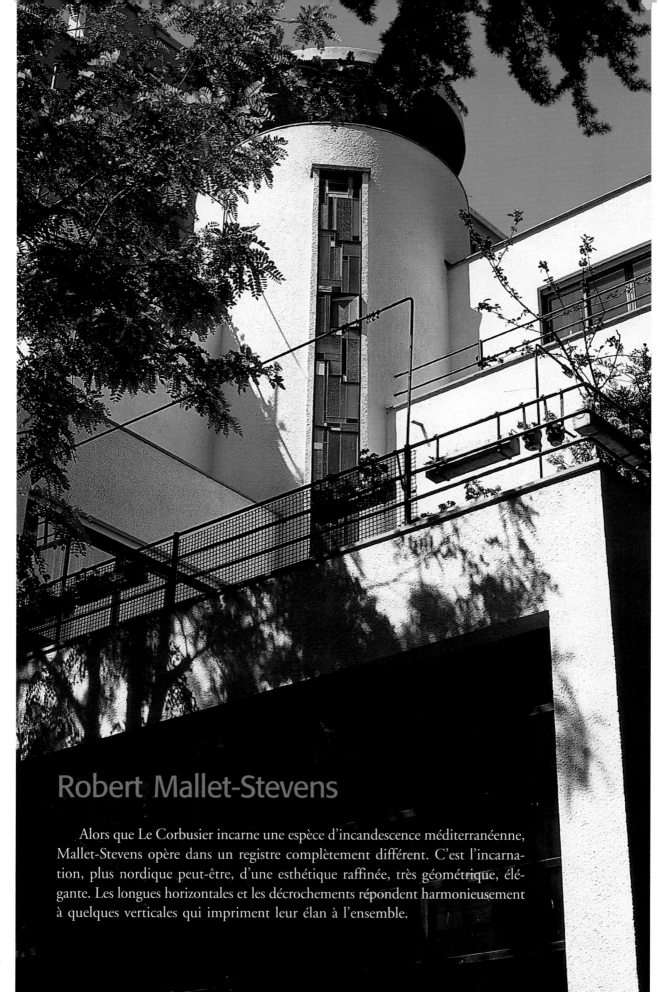

Robert Mallet-Stevens

Alors que Le Corbusier incarne une espèce d'incandescence méditerranéenne, Mallet-Stevens opère dans un registre complètement différent. C'est l'incarnation, plus nordique peut-être, d'une esthétique raffinée, très géométrique, élégante. Les longues horizontales et les décrochements répondent harmonieusement à quelques verticales qui impriment leur élan à l'ensemble.

Au contraire de Le Corbusier, qui ne s'intéressait qu'aux formes, la finition est étudiée dans les moindres détails. Il travaille d'ailleurs main dans la main avec d'autres artistes comme Prouvé pour les ferronneries, Boullet pour les vitraux, Léger et Sonia Delaunay pour les panneaux décoratifs…

Une vie courte – il meurt à l'âge de 59 ans en 1945 – et deux guerres qui abrègent l'une le début et l'autre la fin de sa vie professionnelle se liguent pour lui imposer une carrière très brève, ce qui n'empêche pas une réalisation majeure : les six hôtels construits pour lui-même et quelques amis, en 1927, dans la rue du 16e qui porte son nom (et qui le porta de son vivant). Le Corbusier, dont les deux villas, La Roche et Jeanneret, furent construites non loin de là trois ans plus tôt, n'eut malheureusement pas ce privilège rare.

La dernière moitié du XXᵉ siècle

l s'agit d'une période très riche pour la construction parisienne, tant en ce qui concerne les logements que pour les immeubles de bureaux, les ateliers d'artistes ou les équipements collectifs. Pour les hôtels particuliers, néanmoins, les derniers feux jetés par le style international ont été soufflés par le conflit : on ne construit plus d'hôtels à Paris depuis la fin de la guerre. En revanche, on a eu le temps d'en détruire ou d'en défigurer pas mal, même si les associations de défense, les divers contrôles et des soins intensifs semblent désormais venir à bout de l'hémorragie.

Ainsi la fastueuse tapisserie des grands hôtels parisiens, commencée quelque six siècles plus tôt, s'arrête-t-elle ici, butant sur le prix des terrains de la capitale. Il faudrait donc s'éloigner de ses limites pour en retrouver la trace, comme nous avons d'ailleurs commencé à le faire dans le chapitre précédent en puisant à peu près le tiers des photos à Boulogne. Cette migration n'a du reste rien d'exceptionnel car, depuis les origines, c'est ce qu'ont fait les vagues successives d'hôtels qui, en s'éloignant du centre, ont précédé ou suivi, selon les époques, les enceintes successives de la ville.

Si l'on voulait absolument en découvrir quelques vestiges contemporains à Paris, peut-être faudrait-il lever les yeux vers les sommets de ces beaux immeubles coiffés d'un étage en fort retrait et de fastueuses terrasses arborées. Ainsi perché, l'hôtel a perdu sa cour privative et un peu de sa superbe. Il a cependant conservé le jardin qui fait une partie de son agrément. Mais il n'est pas très sûr que nous, les piétons de Paris, y retrouvions tout à fait notre compte…

Localisation des photos

Style Louis XV

Page 79 : H. Choiseul-Praslin. 11, rue de Sèvres. 6e. 1732. S. Gaubier.

Page 80 : 1, rue de Lille. 7e. 1733.

Page 81 : Petit hôtel de Montmorency. 85, rue du Cherche-Midi. 6e. 1743.

Page 82 en haut : 1, rue du Regard. 6e. 1735. V. T. Dailly.

Page 82 au milieu : H. Choiseul-Praslin. 11, rue de Sèvres. 6e. 1732. S. Gaubier.

Page 82 en bas : 4, rue Gaillon. 2e. 1re moitié XVIIIe siècle.

Page 83 : 13, rue du Regard. 6e. 1739. V. T. Dailly.

Page 84 en haut : H. de Montmort. 79, rue du Temple. 3e. 1754.

Page 84 au milieu : H. Choiseul-Praslin. 11, rue de Sèvres. 6e. 1732. S. Gaubier.

Page 84 en bas : H. Thirioux de Lailly. 5, rue de Montmorency. 4e. 1741. M. Tannevot.

Page 85 en haut : Petit hôtel de Montmorency. 85, rue du Cherche-Midi. 6e. 1743.

Page 85 en bas : Gd. hôtel de Montmorency. 89, rue du Cherche-Midi. 6e. 1757. C. Le Chauve

Page 86 en haut : H. Thirioux de Lailly. 5, rue de Montmorency. 3e. 1741. M. Tannevot.

Page 86 en bas : Maison des Jacobins. 4, rue Royer-Collard. 5e. 1735.

Page 87 : Pavillon du duc d'Orléans. 30, rue Descartes. 5e. 1747. P. de Vigny.

Page 88 : H. d'Albret. 29 bis, rue des Francs-Bourgeois. 3e. 1740. J. B. Vautrin.

Page 89 en haut à gauche : H. Choiseul-Praslin. 11, rue de Sèvres. 6e. 1732. S. Gaubier.

Page 89 en haut à droite : 8, rue Saint-Paul. 4e.

Page 89 en bas à gauche : Gd. hôtel de Montmorency. 89, rue du Cherche-Midi. 6e. 1757. C. Le Chauve.

Page 90, jaquette et page 5 : H. du Grand Veneur. 60, rue de Turenne. 3e. 1729. J. B. Beausire.

Page 91 : H. de Montmort. 79, rue du Temple. 3e. 1754.

Pages 92 et 93 : Gd. hôtel de Montmorency. 89, rue du Cherche-Midi. 6e. 1757. C. Le Chauve.

Page 94 à gauche : H. de Montmort. 79, rue du Temple. 3e. 1754.

Page 94 à droite : H. du Grand Veneur. 60, rue de Turenne. 3e. 1729. J. B. Beausire.

Page 95 : 1, rue du Regard. 6e. 1735. V. T. Dailly.

Page 96 en haut : H. du Grand Veneur. 60, rue de Turenne. 3e. 1729. J. B. Beausire.

Page 96 en bas : H. d'Hozier. 110, rue Vieille du Temple. 3e. Porte de 1733.

Page 97 et jaquette : 5, rue du Regard. 6e. 1728. V. T. Dailly.

Page 98 : 20, rue de l'Université. 7e.

Page 99 en haut : H. du Grand Veneur. 60, rue de Turenne. 3e. 1729. J. B. Beausire.

Page 99 en bas : H. de Marsilly. 18, rue du Cherche-Midi. 6e. 1738. C. Bonnet.

Pages 100 et 101 : H. Biron. 77, rue de Varenne. 7e. 1732. J. Aubert.

Style Louis XVI

Page 103 : H. du Châtelet. 127, rue de Grenelle. 7e. 1776. M. Cherpitel.

Page 104 : 2, bis rue de Caumartin. 9e. 1782.

Page 105 en haut à gauche : H. Goys. 60, rue du Faubourg-Poissonnière. 10e. 1783. J. C. Delafosse.

Page 105 en haut à droite : H. d'Hallwyll. 28, rue Michel-le-Comte. 3e. 1767. Remanié par C. N. Ledoux.

Page 105 en bas : 2, rue de Tounon. 6e. 1788. L. P. Lemonnier.

Page 106 en haut : H. du Châtelet. 127, rue de Grenelle. 7e. 1776. M. Cherpitel.

Page 106 en bas : 44, rue des Petites Ecuries. 10e. 1782. P. V. Pérard de Montreuil.

Page 107 à gauche : 24, rue de l'Université. 7e. 1772 (remaniement). N. Ducret. D. C. Liégeon.

Page 107 à droite : H. d'Argenson. 38, avenue Gabriel. 8e. 1787. J. P. Lemoine de Couzon.

Page 108 en haut et en bas : H. Gouthière. 6, rue Pierre-Bullet. 10e. 1780. J. Métivier.

Page 108 au milieu : H. Titon. 58, rue du Faubourg-Poissonnière. 10e. 1783. J. C. Delafosse.

Page 109 en haut : Mont de Piété. 55, rue des Francs-Bourgeois. 4e. 1784. C. F. Viel.

Page 109 en bas : 14, rue de Tournon. 6e. Fin XVIIIe siècle. G. P. Martin-Dumont.

Page 110 : H. d'Hallwyll. 28, rue Michel-le-Comte. 3e. 1767. Remanié par C. N. Ledoux.

Page 111 en haut : H. de Fleury. 28, rue des Saints-Pères. 7e. 1773. J. D. Antoine.

Page 111 en bas à gauche : H. Titon. 58, rue du Faubourg-Poissonnière. 10e. 1783. J. C. Delafosse.

Page 111 en bas à droite : 14, rue de Tournon. 6e. Fin XVIIIe siècle. G. P. Martin-Dumont.

Page 112 : H. de Galifet. 73, rue de Grenelle. 7e. F. E. Legrand.

Page 113 en haut : 10, rue de Tournon. 6e. 1783.

Page 113 en bas : H. de Narbonne-Sérant. 44, rue de Varenne. 7e. 1777. J. D. Antoine.

Page 114 : Place des Victoires. 1er. 1685. J. Hardouin-Mansart.

Page 115 en haut : 30, rue du Faubourg-Poissonnière. 10e. 1773. S. N. Lenoir.

Page 115 en bas : H. du Châtelet. 127, rue de Grenelle. 7e. 1776. M. Cherpitel.

Révolution-Directoire-Empire

Page 116 : H. Guilloteau. 16, rue du Parc-Royal. 3e. v. 1799. Leclere.

Page 117 : Bas-relief la Charité. 48, rue de Sévigné. 3e. 1808. Fortin.

Restauration

Page 119 : H. de Parieu. 14, rue Las Cases. 7e. 1828. J. C. Protain.

Page 121 : 14, rue Chaptal. 9e. v. 1831.

Page 122 en haut : H. de Lestapis. 2, rue de la Tour des Dames. 9e.

Page 122 en bas : 19, avenue du Maine. 15e.

Page 123 en haut et en bas : H. Paul Delaroche. 58, rue Saint-Lazare. 9e. 1829.

Page 124 : H. de Mlle Mars. 1, rue de la Tour des Dames. 9e. 1826. L. Visconti.

Page 125 : H. Bony. 32, rue de Trévise. 9e. 1822. J. J. B. de Joly.

Page 126 en haut : H. de Parieu. 14, rue Las Cases. 7e. 1828. J. C. Protain.

Page 126 en bas : 58, rue du Faubourg-Poissonnière. 10e. Surélévation 1815. J. C. Delafosse.

Page 127 en haut : 7, rue Monsieur. 7e. Réfection d'une façade Louis XVI sous la Restauration.

Page 127 en bas : 19, avenue du Maine. 15e.

Style Louis-Philippe

Page 129 : 14, rue Vaneau. 7e. 1835. P. C. Dussillion.

Page 130 en haut et en bas : 8, rue de Tournon. 6e. 1830.

Page 131 : 20, rue Joubert. 9e. H. Louis XVI remanié en 1847.

Page 132 en haut et en bas : 28, place Saint-Georges. 9e. 1842. E. Renaud.

Page 133 : 3, avenue Frochot. 9e. 1830.

Page 134 : 28, place Saint-Georges. 9e. 1842. E. Renaud.

Page 135 : 20, rue Joubert. 9e. H. Louis XVI remanié en 1847.

Page 136 : H. Pourtalès. 7, rue Tronchet. 8e. 1836. F. Duban.

Page 137 : 14, rue Vaneau. 7e. 1835. P. C. Dussillion.

Style haussmannien

Page 139 : H. des Maréchaux. Rues de Tilsitt et de Presbourg. 8e. Après 1867. Hittorff.

Pages 140 et 141 : H. de Bourgoing. 1, avenue de Marigny. 8e. 1861. Périchet.

Page 142 : 40, rue Barbet-de-Jouy. 7e. 1863.

Page 143 en haut : H. Ménier. 5, avenue Van-Dyck. 8e. 1867. H. Parent.

Page 143 en bas : H. de Vilgruy. Place François-Ier. 8e. 1865. H. Labrouste.

Page 144 en haut : 124, avenue des Champs-Elysées. 8e. 1858.

Page 144 en bas : 40, rue Barbet-de-Jouy. 7e. 1863.

Page 145 en haut à gauche : H. Ménier. 5, avenue Van-Dyck. 8e. 1867. H. Parent.

Page 145 en haut à droite : 124, avenue des Champs-Elysées. 8e. 1858.

Page 145 en bas à gauche : H. Schneider. 137, rue du Faubourg-Saint-Honoré. 8e. 1860.

Page 145 en bas à droite : H. de Vilgruy. Place François Ier. 8e. 1865. H. Labrouste.

Page 146 en haut : H. des Maréchaux. Rues de Tilsitt et de Presbourg. 8e. Après 1867. Hittorff.

Page 146 en bas : H. de la Païva. 25, avenue des Champs-Elysées. 8e. Mauguin.

Page 147 : H. Fieubet. 2, quai des Célestins. 4e. v. 1860 pour la réfection de J. Gros.

Sources et bibliographie

BABELON, J.-P.
Histoire architecturale de Paris.
Le XVIᵉ siècle.

BABELON, J.-P.
Demeures parisiennes sous Henri IV et Louis XIII.

BASDEVANT, D.
L'architecture française des origines à nos jours.

BORSI, F. et GODOLI, E.
Paris Art nouveau.

CABANNE, P.
L'art classique et le baroque.

CLOUZOT, H.
Le style Louis-Philippe-Napoléon III.

COUPERIE, P.
Paris au fil du temps.

DACIER, E.
Le style Louis XVI.

DELORME, J.-C. et CHAIR, P.
L'École de Paris.

DION-TANNEBAUM, A.
Le style Louis-Philippe.

ELEB, M.
Architecture de la vie privée.

ELEB, M.
L'invention de l'habitation moderne.

FRANCASTEL, P.
Le style Empire.

GADY, A.
La montagne Sainte-Geneviève et le quartier Latin.

GADY, A.
Le Marais.

GALLET, M.
Demeures parisiennes. Époque Louis XVI.

GÉBELIN, F.
Le style Renaissance,
Guides Bleus, Paris.

GUÉGAN, S.
L'ABCdaire des années 1930.

JENGER, J.
Le Corbusier, L'architecture pour émouvoir.

LAVEDAN, P.
L'architecture française.

LE MOËL, M.
L'architecture privée à Paris au Grand Siècle.

LEMOINE, B. et RIVOIRARD, P.
L'architecture des années 30.

LOYER, F.
Paris XIXᵉ siècle.

MARTIN, H.
Le style Empire.

MARTIN, H.
Guide de l'architecture moderne à Paris.

PAUWELS-LEMERLE, F. et Y.
L'architecture de la Renaissance.

PÉROUSE DE MONTCLOS, J.-M.
Histoire de l'architecture française.

PÉROUSE DE MONTCLOS, J.-M.
Le guide du patrimoine.

POISSON, G.,
Histoire de l'architecture à Paris.

POISSON, M.
Paris monuments.

RENAULT, C.
Reconnaître les styles en architecture.

RUSSEL, F.
L'architecture de l'Art nouveau.

VERLET, P.
Le style Louis XV.

WEIGERT, R. A.
Le style Louis XIV.